La vie n'est pas
un long fleuve tranquille

Direction : Catherine Saunier-Talec

Responsables d'édition :
Delphine Kopff-Hausser, Tatiana Delesalle-Féat

Relecture-correction : Hélène Ducoutumany

Maquette : Nicole Dassonville

Mise en pages : Jacqueline Gensollen-Bloch

Fabrication : Amélie Latsch

L'éditeur remercie Marine Rivière pour son aide précieuse.

© 2012, HACHETTE LIVRE (Hachette Pratique)

Toute reproduction ou représentation intégrale ou partielle,
par quelque procédé que ce soit, du texte et/ou de la nomenclature
contenus dans le présent ouvrage, et qui sont la propriété
de l'éditeur, est strictement interdite.

La vie n'est pas un long fleuve tranquille

Marie Borrel

{ hachette }

Introduction

Crise d'adolescence, crise de la quarantaine, crise de couple... Crises professionnelle, personnelle ou relationnelle... Notre vie est jalonnée de ces moments inconfortables et déstabilisants qui nous donnent l'impression que notre vie se délite. Certaines crises sont même extrêmement douloureuses : deuil, perte d'emploi... Tout s'écroule autour de nous. Nous devons affronter à la fois la perte irrémédiable de la situation que nous connaissions jusque-là et l'adaptation à une réalité nouvelle, inconnue et forcément effrayante. Nous nous sentons en décalage avec ce qui nous entoure, comme si plus rien n'allait dans notre vie. Alors on rentre la tête dans les épaules, en espérant que l'orage va passer et que l'on va retrouver rapidement l'équilibre antérieur.

Au lieu de fuir ces moments et d'essayer de les oublier, il vaudrait mieux y plonger, les positiver, et même les remercier. Car c'est dans les moments de crise que l'on évolue, que l'on grandit, que l'on se renforce... et que l'on développe son aptitude au bonheur. À la sortie d'une crise de vie, on ne retrouve jamais l'état qui l'a précédée. Mais on peut découvrir un nouvel équilibre, plus riche, plus fructueux et mieux adapté à ce que l'on est devenu. C'est cette dynamique qui fait de nous des êtres capables d'évoluer, de changer, de se défaire des anciens schémas... pour vivre chaque jour un peu plus heureux.

Il n'y a pas de vie sans crise

Disons-le tout de suite : une vie sans crise n'existe pas ! Il n'est pas un humain sur terre qui n'ait traversé quelques périodes de crise, petites ou grandes, profondément blessantes ou simplement dérangeantes, ponctuelles ou durables. Parfois, nous passons à travers l'orage sans vraiment nous en rendre compte, et mettons le cap sur demain sans nous poser de questions. Mais il arrive que l'orage tourne à la tempête. Les bourrasques emportent avec elles tous nos points de repère et transforment en charpie nos habitudes. C'est le conjoint qui nous quitte pour un autre amour, laissant derrière lui ce que nous percevons alors comme un champ de ruines. C'est la nouvelle du licenciement qui réduit à néant notre confiance en nous-mêmes et en l'avenir.

Au moment où elles se déclenchent, ces grandes crises nous apparaissent comme des désastres absolus (ma vie est en cendres), des injustices flagrantes (pourquoi moi?) et des drames insurmontables (je ne m'en sortirai jamais). Pourtant, elles constituent aussi de formidables opportunités d'évolution et de transformation. Certes, elles rompent le ronron confortable qui nous était familier, mais elles nous ouvrent également des portes nouvelles vers des territoires intérieurs insoupçonnés. C'est vrai, elles nous font douter de nous-mêmes, de nos capacités et de nos qualités, néanmoins elles nous aident à mieux savoir qui nous sommes et ce que nous désirons réellement. Une fois la douleur atténuée (et certaines crises sont très douloureuses), ces accrocs dans le tissu de nos existences laissent une lumière nouvelle pénétrer en nous et éclairer des zones jusque-là laissées dans l'ombre.

Pour toutes ces raisons, il ne faut pas considérer nos crises comme des ennemies à fuir à tout prix, mais comme des alliées sur le chemin de notre épanouissement, des alliées exigeantes, harassantes parfois, mais dont l'impact positif est à la mesure des efforts qu'elles nous auront demandés.

La vie est une perpétuelle transformation

❧

Dans notre quotidien, en dehors des périodes de grande crise, nous n'avons pas l'impression de changer ni de nous transformer. Pourtant, notre existence est tressée de réajustements continuels qui sont autant de petites crises passant inaperçues. Le bébé vient au monde et aspire sa première bouffée d'air dans la salle de naissance : première crise. Il quitte un univers clos et feutré pour surgir soudain en pleine lumière. La transformation est brutale et effrayante. Il lui faut s'adapter à un nouvel environnement, étranger et angoissant. Votre naissance fut votre première crise, et vous l'avez traversée avec succès. Efforcez-vous de ne pas l'oublier.

Quelques mois plus tard, le bébé quitte le sein maternel pour commencer à manger à la cuillère : nouvelle crise. Il doit changer ses habitudes, apprendre de nouveaux gestes, accepter la privation du contact si doux avec la peau de sa mère pendant qu'il avale sa nourriture... Ayant grandi, il entrera à l'école et fera encore de nouvelles expériences, rencontrera de nouveaux problèmes et ressentira des joies nouvelles. Une fois de plus, il devra quitter une réalité qu'il connaît bien pour s'aventurer dans un univers nouveau, plein de promesses mais aussi de frayeurs. Jusqu'à notre dernier souffle, nous irons ainsi de crise en crise, jour après jour. Toute notre vie durant, nous passerons d'un état à un autre, d'une situation à une autre. Notre existence n'est qu'une longue transformation continuelle et ce, sur tous les plans.

Prenez notre corps physique : il se transforme en permanence. La multiplication cellulaire, amorcée à l'instant où le spermatozoïde paternel a rencontré l'ovule maternel, ne cesse qu'à notre dernier souffle. Les cellules qui nous constituent se renouvellent à un rythme effréné : celles de l'intestin ne vivent que quatre jours en moyenne ; celles de la peau, deux semaines ; celles du sang, quatre mois. Votre corps ne compte plus une seule cellule ayant appartenu à votre organisme il y a seulement trois mois.

Notre vie psychique est tout aussi mouvante. Chaque émotion ressentie, chaque expérience traversée, chaque rencontre imprime en nous sa marque et transforme l'être que nous sommes. Nous conservons une impression de continuité parce qu'en dehors des crises graves, nous ne vivons pas de rupture psychologique brutale et que nous intégrons les changements à mesure qu'ils se manifestent. C'est justement ce que nous devrions nous efforcer de faire lorsque nous sommes confrontés à une situation de crise : essayer de conserver le fil de notre évolution et d'intégrer au fur et à mesure ce que la crise nous apprend.

Prendre conscience de cette incessante mouvance des choses et des êtres, c'est se rapprocher de la pensée bouddhique à propos de l'« impermanence ». Dans ses enseignements, Bouddha explique en substance que tout change sans cesse, en nous et autour de nous, et qu'il est vain de vouloir s'accrocher à quoi que ce soit. S'agripper à la possession matérielle n'a aucun sens, pas plus que se cramponner à l'amour de l'autre ou à une quelconque situation. Le bouddhisme est une philosophie qui prône avant tout le lâcher-prise et le détachement comme des outils ultimes du bonheur. Sans aller jusque-là, il est certain que dans les moments de crise, il ne sert à rien de vouloir retenir à tout prix ce qui nous a échappé, ni de se complaire dans le regret d'un illusoire paradis perdu.

Cette notion d'impermanence n'est pas non plus étrangère à la science. Lorsque les chercheurs plongent dans l'infiniment petit, à l'intérieur de l'atome, ils rencontrent des particules dont le comportement échappe aux règles habituelles de la physique. Dans l'univers quantique, rien n'est prévisible ni stable. L'impermanence règne. En traversant les moments de crise, nous devrions nous rappeler ceci : dans le monde de l'esprit comme dans celui de la matière, rien n'est jamais acquis ni définitif. Pourquoi serait-ce différent dans nos vies ?

La tyrannie du bonheur

Notre capacité à traverser les crises se heurte pourtant à une idée très largement répandue : nous sommes supposés être tout le temps heureux. Tout éloignement de ce nirvana est donc vécu comme un échec. Les messages publicitaires qui nous montrent des individus toujours souriants, en pleine forme physique et morale, prêts à consommer n'importe quoi pour entretenir leur joie de vivre, font écho au titre des livres ou articles qui promettent le bonheur en un tournemain. Cette idée fausse s'imprègne peu à peu dans nos esprits. Lorsqu'une crise pointe le bout de son nez, nous nous retrouvons alors piégés dans une double contrainte : traverser l'orage et affronter la culpabilité que nous éprouvons à l'idée de ne pas être capables d'être heureux.

Arrêtons ce jeu de massacre! On ne peut pas être heureux tout le temps. Le bonheur n'est pas un but que l'on atteint une fois pour toutes. Il n'est pas non plus un oiseau que l'on peut mettre dans une cage lorsqu'on l'a attrapé. C'est un état d'esprit, une aptitude que l'on peut développer et qui permet de savourer de plus en plus souvent les petits moments heureux du quotidien. Mis bout à bout, ces instants – la plupart du temps fugaces – nous donnent l'impression globale d'un bien-être transcendé par moments jusqu'à valoir l'étiquette de « bonheur ».

Non seulement il est normal de traverser de temps en temps des périodes de crise, mais c'est aussi salutaire. C'est même un signe de bonne santé psycho émotionnelle. Ceux qui prétendent aller bien tout le temps, dans tous les domaines, sont réfugiés derrière une carapace qui, au mieux, leur permet de cacher ce qu'ils ressentent, au pire, les empêche tel un carcan de percevoir leurs propres émotions. Alors il vaut mieux faire le deuil tout de suite de ce leurre, de cette illusion selon laquelle il pourrait exister des vies sans crises, sans soucis ni heurts, qui s'écouleraient comme de longs fleuves tranquilles dans l'atmosphère permanente d'un bonheur calme et mérité. Elles seraient, en plus, d'un ennui mortel !

Quand le bonheur
est une crise

⌘

D'ailleurs, même les grandes joies peuvent nous plonger dans une situation de crise. Ce n'est pas un hasard si sur l'échelle du stress[1], le mariage ou la venue d'un enfant n'arrivent pas très loin derrière le deuil, le divorce ou le chômage. Les grands gagnants au Loto® le savent bien : il est très déstabilisant de recevoir brusquement une grosse somme d'argent, même si l'on en rêve depuis toujours. Confrontée aux crises que traversent les gagnants, la société Française des Jeux a même mis en place une cellule d'accompagnement

---

[1] Cette échelle calcule le degré de stress provoqué par les grands événements de vie : deuil, mariage, déménagement, chômage, gain d'argent inattendu... Elle a été mise au point dans les années 1960 par deux médecins chercheurs américains, Thomas H. Holmes et Richard H. Rahe, puis réactualisée à diverses reprises en fonction de l'évolution de notre société. L'une des dernières en date a été publiée par la psychothérapeute française Anne Ancelin Schützenberger.

psychologique afin d'aider ceux qui ont bénéficié d'une chance exceptionnelle à traverser sans dommage la crise induite par celle-ci.

À l'inverse, certaines turbulences vécues de manière douloureuse sur le moment laissent dans l'histoire de l'individu une trace autre. Des années plus tard, ces crises sont rangées au rayon des souvenirs sinon heureux, du moins bénéfiques. Je me souviens d'avoir participé il y a quelques années à un séminaire sur la confiance en soi. Au cours de la première matinée, l'animateur nous demanda de lister les dix événements les plus positifs de notre vie. Nous planchâmes pendant un quart d'heure, puis chacun dut lire à haute voix sa liste. C'est en m'entendant exprimer ces événements que je pris conscience d'un fait qui m'étonna : j'avais inscrit dans cette liste des épisodes heureux (la naissance de mes enfants, mon premier boulot d'écriture...), mais aussi d'autres que j'avais vécus sur l'instant comme des crises profondes : ma séparation d'avec le père de mes enfants après presque vingt ans de vie commune ; la période de chômage que j'avais traversée après que le premier journal au sein duquel j'avais travaillé eut dû mettre la clé sous la porte... En toute bonne foi, je persiste à les ressentir, avec le recul, comme des événements extrêmement positifs qui m'ont beaucoup enseigné sur moi-même et m'ont ouvert des voies que je ne soupçonnais pas lorsque j'étais dans la tourmente.

On voit bien, à la lumière de cet exemple, qu'il est impossible d'opposer bonheur et malheur, événement heureux et événement malheureux. Ce qui compte vraiment, c'est ce que nous apprenons de la vie et la manière dont nous avançons. Au IIIe siècle avant Jésus-Christ, le mathématicien et physicien Archimède, célèbre pour la fameuse « poussée », affirmait : « Donnez-moi un levier et un point d'appui, et je soulèverai le monde. » Ramené à l'individu, cet adage tient aussi : le point d'appui, c'est nous-mêmes ; le levier, c'est la crise que nous traversons. En associant l'un à l'autre, nous pouvons « soulever » notre monde intérieur et le conduire vers des hauteurs salutaires.

Les crises, une école de vie

Considérées sous cet angle, les crises de vie ne sont que des étapes naturelles sur notre chemin d'évolution. Non seulement elles ne sont pas destructrices, mais elles peuvent aussi nous aider à évoluer. Nous progressons dans notre vie comme on surfe sur une vague. Mais le terme de « vague » implique forcément qu'il y ait périodiquement un « creux de vague ». C'est même cette alternance entre crête et creux qui nous fournit l'énergie et la dynamique indispensables à notre évolution, comme pour le surfeur qui glisse sur des rouleaux brodés d'écume. Sur une mer d'huile, pas d'avancée possible, pas plus que dans une vie plate et monotone. La sagesse consisterait non seulement à accueillir les creux de vague lorsqu'ils se manifestent, mais aussi à accepter d'avance ceux qui ne manqueront pas de se présenter dans le futur.

Le philosophe Robert Misrahi[2], qui s'est longuement penché sur les arcanes de la joie, explique que les hommes sont souvent malheureux alors qu'au fond, ils sont mûs par la quête de la joie. « Le problème, explique-t-il, c'est que trop souvent nous refusons de mettre en œuvre notre pouvoir de raisonner. Nous laissons parler notre désir dans sa spontanéité la plus stérile. On se jette dans le malheur, faute de réfléchir à ce qui sera vraiment constructif pour nous[3]. » Nous pouvons appliquer cette réflexion à la gestion des crises. Au lieu de nous précipiter dans le malheur – ou du moins dans le ressassement de la difficulté et de la déception –, nous devrions réfléchir aux bénéfices

---

[2]   Il est notamment l'auteur de *Le Bonheur – Essai sur la joie*, Éd. Cécile Defaut, Nantes, 2011, et *Les Actes de la joie*, Éd. Encre Marine, Paris, 2010.

[3]   Dans une interview au magazine *Psychologies*, n° 131.

que nous pouvons tirer de cette épreuve et à la joie qui peut en émerger à la fin.

Bien sûr, le chemin que je vous propose n'est pas facile. Ainsi ne se présente-t-il pas d'emblée comme simple et aisé. Il faut faire quelques efforts pour ne pas se laisser glisser sur la pente du découragement, puis pour trouver en soi l'énergie nécessaire au changement. Mais le choix qui nous est proposé ne s'exprime pas en termes de « vouloir ou ne pas vouloir » traverser les crises. Lorsque nous y sommes plongés, la question n'est plus là. En revanche, nous avons toujours la possibilité de choisir entre « tirer profit ou ne pas tirer profit » de l'épreuve. Pour cela, il faudrait parvenir à conserver l'acquis du passé, en l'enrichissant de ce que l'on vit au présent pour dessiner un avenir plus joyeux et plus heureux. Avouez que le programme a de quoi séduire !

Chapitre 1

À chacun sa crise...

Toutes les crises se ressemblent et, pourtant, chacune est particulière. Il y a à cela plusieurs explications. D'abord, chaque crise s'inscrit dans un courant de vie, dans un ensemble de situations et d'expériences unique. Celui qui se retrouve au cœur de la tourmente vit la crise à sa manière, et celle-ci fait résonner ses expériences antérieures. C'est pourquoi certains traverseront sans trop souffrir les crises affectives mais seront extrêmement sensibles aux crises professionnelles, alors que d'autres se sentiront anéantis si leur vie amoureuse traverse des turbulences, mais rebondiront rapidement si leur emploi est menacé.

L'intensité de la résonance est tout aussi variable. Chacun de nous est structuré différemment sur le plan psychique. Certains subissent de plein fouet leurs émotions, mais savent réagir rapidement. D'autres ont besoin de temps pour laisser émerger ce qu'ils ressentent. Il en est même qui n'ont conscience de la crise qu'une fois celle-ci passée, ou presque.

Malgré ces différences, toutes les crises ont néanmoins un socle commun. D'abord, leur scénario se déroule en suivant les mêmes étapes. Ensuite, elles contiennent des ingrédients similaires, à commencer par la déstabilisation et le mal-être.

Soi et le monde extérieur : un équilibre fragile

Quelles que soient leur nature et leur ampleur, toutes les crises reposent sur un déséquilibre entre vous et votre environnement. Dans certains cas, c'est l'environnement qui change et se trouve décalé par rapport à vous. Dans d'autres, c'est vous qui évoluez tandis que votre environnement ne bouge pas. Autre type de décalage, qui aboutit pourtant au même résultat : on n'est plus en phase avec la vie.

L'histoire d'Aline : quand les circonstances changent...

Aline a commencé à travailler très jeune, à 19 ans à peine, comme secrétaire dans une entreprise de transports. Elle s'entendait très bien avec son chef de service, elle était entourée de gens qu'elle appréciait et qui le lui rendaient bien. Elle allait au bureau tous les matins avec bonne humeur. Pendant une dizaine d'années, elle a grimpé les échelons en même temps que son patron, jusqu'à devenir assistante de direction lorsque celui-ci a pris le poste de directeur général. Il lui arrivait de se sentir un peu à l'étroit dans ce rôle d'exécutante, mais son job lui apportait une sécurité, sociale et affective, qui méritait bien un petit effort.

Un matin, la nouvelle est tombée : la boite était rachetée par un groupe plus important, une restructuration d'ampleur était prévue. Aline ne faisait pas partie de la charrette de licenciements, mais son patron dut quitter son poste. L'ambiance a changé en quelques semaines. La pression est devenue beaucoup plus intense. Un grand nombre de ceux qu'elle connaissait sont partis. Peu à peu, les limites de son emploi ont commencé à lui apparaître avec de plus en plus de clarté. Ce qu'elle faisait ne l'intéressait plus. Elle aspirait à autre chose, mais elle ne savait pas exactement ce qu'elle avait envie d'entreprendre. Au bout de quatre mois, Aline a sombré dans une déprime tenace. Elle avait du mal à se lever le matin, elle était d'une humeur morose, elle n'avait de goût à rien. Le malaise a duré plusieurs semaines, jusqu'à ce qu'une amie l'entraîne dans un stage de créativité. Là, tout s'est débloqué. Aline a senti qu'elle était douée pour créer et pour entreprendre. Elle a quitté son job pour monter, avec l'amie en question, une boutique de bijoux artisanaux. Trois ans ont passé et l'affaire marche très bien.

Pour Aline, ce sont les modifications de l'environnement extérieur qui ont déclenché la crise. Tant qu'elle se sentait en phase avec son entourage, les limites de son travail lui paraissaient supportables. « Il n'y a pas de situation idéale », se disait-elle. Ce en quoi elle avait raison. Mais lorsque son environnement a changé, elle a perdu ses repères, ses habitudes et, surtout, son équilibre. Le bien-être qu'elle ressentait au travail s'est dissous, remplacé par une forme de malaise.

Aline a réagi assez rapidement. Elle ne s'est pas enfermée dans l'insatisfaction. La peur du changement, qu'elle a ressentie au moment où elle a abandonné la sécurité de l'emploi pour se lancer dans une aventure dépourvue de garanties, s'est révélée moins forte que son désir de mettre en pratique cette créativité qu'elle venait de découvrir. La crise a servi de déclencheur, de catalyseur de l'évolution.

L'histoire de David : quand se déclenche le réveil intérieur

À 35 ans, David avait conservé ses amitiés d'enfance. Il avait connu la plupart de ses copains sur les bancs de l'école ou dans le bac à sable du square où sa mère l'emmenait quand il était petit. À l'adolescence, ils avaient formé une joyeuse bande. Quinze ans plus tard, ils se voyaient toujours, passaient leurs week-ends ensemble et partaient en vacances en groupe. David ressentait même une certaine fierté à se dire qu'il était fidèle en amitié et capable de conserver si longtemps de bonnes relations avec ses proches copains. Chacun avait pourtant suivi son chemin, parfois très éloigné de celui des autres : l'un était architecte, l'autre ingénieur météo, un autre encore journaliste de presse écrite... David était devenu musicien. Il écrivait des partitions destinées à illustrer des courts-métrages, des pubs ou des reportages télévisés.

Tout allait très bien, jusqu'à ce que David rencontre Élise au cours d'une séance d'enregistrement. Coup de foudre. Après quelques mois, ils emménagèrent ensemble. David voyait toujours ses copains, mais il était moins disponible. Et surtout, il commençait à se rendre compte qu'il n'avait plus grand-chose à leur dire. Ils avaient continué à fonctionner sur une complicité ancienne qui s'était peu à peu vidée de son sens. Une distance s'est progressivement creusée. Il s'ennuyait ferme quand il passait une soirée avec eux. Il pensait bien à s'éloigner de ses amis, mais il avait peur que l'on attribue la responsabilité de cette distance à Élise, qui n'y était pour rien et ne cherchait pas à le séparer d'eux. C'est lui qui, au contact de cette femme avec laquelle il partageait une grande connivence intellectuelle et affective, prenait conscience de la pauvreté de ces relations amicales. Il s'en rendait coupable au point de sentir la déprime l'envahir. Il avait l'impression de trahir ce groupe d'amis, de les abandonner, de tromper leur fidélité... Son malaise a fini par rejaillir sur sa relation avec Élise. Il a fallu qu'elle insiste pour que David lui parle de son problème. Ensemble, ils ont réagi. David a su mettre une distance raisonnable entre lui et ses anciens amis, sans les abandonner pour autant. Aujourd'hui, ils se voient encore de temps en temps, en souvenir du passé.

Contrairement à Aline, David n'a pas vu son environnement se modifier. Ses copains sont restés les mêmes, c'est lui qui a changé. L'élément déclencheur de sa crise d'amitié fut sa relation avec Élise, une relation riche et pleine qui a mis en relief l'indigence de ses rapports amicaux. En évoluant intérieurement, il a creusé sans le vouloir un fossé entre lui et cet entourage qu'il avait affectionné pendant plus de quinze ans. Le parcours est pourtant le même : pour se sentir à nouveau en phase avec son environnement, il a dû passer par-dessus sa culpabilité et s'éloigner de ses anciens amis. « J'ai encore beaucoup d'affection pour eux, explique-t-il, mais de loin. »

Que le déséquilibre prenne naissance en soi ou hors de soi, une évolution salutaire est au bout du chemin, si nous « écoutons » ce que nous raconte la crise que nous traversons. « Nous vivons dans un environnement complexe, fruit d'un très grand nombre de données qui évoluent en permanence, tout comme nous évoluons nous-mêmes au fil des années, écrit Patrick Drouot dans *La Révolution de la pensée intégrale*. La stabilité est donc illusoire. Nous vivons comme des équilibristes sur un fil, dans un mouvement de constante adaptation[4]. »

Pour traverser ces réajustements inéluctables, nous devons être capables d'exercer une forme de maîtrise à la fois sur nous-mêmes et sur le monde qui nous entoure. Ces deux sphères sont continuellement en relation entre elles, et les modifications successives de l'une et de l'autre créent cette indispensable dynamique qui nous permet de suivre le mouvement de la vie.

---

[4] Éditions Alphée, Monaco, 2010.

Dans certaines périodes, c'est notre environnement qui nous échappe. Comme Aline, nous devons parvenir à mettre le doigt sur ce qui a changé et qui nous pose problème afin de transformer ce décalage. À d'autres moments, c'est nous qui changeons, et le décalage ainsi provoqué nourrit notre mal-être. Mais nous conservons toujours un point sur lequel nous appuyer pour réagir. Ce point d'appui, c'est ce qui se passe à l'intérieur de nous. Car voici l'une des constantes des crises de vie : c'est en nous que se trouve la solution.

Lorsqu'on ressent un mal-être, ce n'est donc pas sur lui qu'il s'agit de focaliser toute son attention. C'est le décalage qu'il faut débusquer et corriger, afin de trouver un nouvel équilibre dénué de souffrance. Cela ne signifie pas qu'il faille s'arc-bouter sur le contrôle de soi ou sur la maîtrise de l'extérieur.

Au contraire, ce travail de rééquilibrage ne constitue qu'une première étape. Il représente une manière d'instaurer une dynamique positive. Mais le concept de dynamique implique forcément que nous lâchions prise une fois le nouvel équilibre établi[5].

---

[5] Voir les explications détaillées et les conseils pratiques dans le chapitre 3, p. 143.

Les trois phases de la crise

∽⤫⤫∾

Notre adaptation permanente à notre environnement génère des phases qui se répètent inlassablement, toujours dans le même ordre. Les spécialistes de la « pensée intégrale[6] » les nomment *fusion, différenciation, intégration.*

- **La phase de fusion :** c'est celle que nous traversons lorsque nous nous sentons en phase avec ce que nous vivons. Notre monde intérieur et notre environnement extérieur sont alignés. Nous avons la sensation que tout va pour le mieux et nous ressentons une forme d'harmonie. C'est la phase

---

[6] Cette nouvelle façon de considérer l'individu et ses relations avec son environnement est née aux États-Unis. Elle se fonde sur de nombreux travaux émanant de chercheurs en sociologie, en psychologie, en philosophie... Parmi eux, Ken Wilber, dont plusieurs ouvrages ont été publiés en France, notamment *Le Livre de la vision intégrale*, InterÉditions, Paris, 2008.

que traversait Aline avant que la société où elle travaillait change de propriétaire, ou David avant sa rencontre avec Élise. Leurs comportements et leurs émotions étaient adaptés à leur situation quotidienne. Mais cette phase ne peut pas durer éternellement, car quelque chose change inévitablement, à un moment ou à un autre, en nous ou hors de nous.

- **La phase de différenciation :** c'est celle que nous traversons lorsque quelque chose bouge en nous ou autour de nous. Nous ne sommes plus en phase. Nous ressentons alors un malaise dont il n'est pas toujours facile de cerner l'origine – sauf dans les moments de grande crise où la source est évidente (séparation, perte d'emploi, deuil...). Cette étape, incontournable, est la moins confortable mais c'est celle qui recèle à la fois la dynamique du changement et les éléments de la prise de conscience. C'est aussi le moment où il ne faut pas s'accrocher à la situation. Celle-ci est devenue douloureuse, pénible, et appelle le changement. Il nous faut, au contraire, plonger en nous-mêmes à la recherche des éléments qui nous permettront d'abord de comprendre l'origine du mal-être, puis de corriger ce qui peut l'être afin de passer à la phase suivante.

- **La phase d'intégration :** c'est la sortie de crise. La correction est faite et, même si elle n'est pas absolue ni idéale, elle est suffisante pour que nous puissions passer à autre chose. La crise est en voie de résolution. C'est pendant cette phase d'intégration que nous avançons. Nous intégrons les nouveaux schémas que nous avons forgés pendant la phase de différenciation. Un nouvel

équilibre s'établit peu à peu. Lorsque les ajuste-
ments seront terminés, nous entrerons dans une
nouvelle phase de fusion, qui durera plus ou moins
longtemps selon les personnes et les situations, et
qui cessera lorsque quelque chose aura de nouveau
changé, en nous ou autour de nous.

Ces phases se répètent inlassablement, tout au long
de notre vie. Parfois elles se déroulent sur un mode
imperceptible, en silence, lorsque les réajustements se
font spontanément. Mais lorsque le mal-être surgit,
c'est que la situation exige un saut plus important.
Nous devons alors intervenir de manière consciente
et faire l'effort d'ajuster nous-mêmes la relation entre
notre monde intérieur et l'univers extérieur, afin de
sortir de l'impasse. C'est ce qu'ont fait Aline et David,
chacun à sa façon, en corrigeant les déséquilibres qui
étaient à la source de leur mal-être.

La crise de confiance :
une crise avec un grand « C »

Ce schéma général s'applique à toutes les formes de crise. Et elles sont nombreuses. Il y a des crises qui éclairent et d'autres qui aveuglent ; des crises que l'on subit et d'autres que l'on provoque ; des crises qui tombent du ciel comme la foudre et d'autres qui semblent pointer le bout de leur nez au bon moment... Il y a aussi des petites crises, supportables, facilement gérables, et d'autres beaucoup plus profondes, qui remettent en question le socle de notre être.

Enfin, il y a des crises qui ne semblent pas avoir de causes repérables. Ce sont ces moments où, après s'être reposé sur des certitudes, on sent quelque chose d'infime vaciller en soi, quelque chose d'impalpable. Le sens que l'on attribuait à la vie s'estompe, emportant avec lui notre stabilité. C'est la crise de confiance, la crise de sens, la crise existentielle par excellence.

L'histoire de Marianne : rien ne va mal, mais plus rien ne va...

Le malaise a fait irruption dans la vie de Marianne à pas feutrés. Elle avait 45 ans, et sa vie s'était jusque-là déroulée sans problèmes. Après des études de droit, elle avait été engagée comme assistante juridique dans un grand cabinet d'avocats. À 30 ans, elle avait rencontré Arnaud. Ils s'étaient mariés deux ans plus tard et avaient eu deux enfants. Elle s'entendait bien avec sa famille (ses parents et sa sœur) et avec sa belle-famille. Elle partageait ses passions avec son mari et ses amis proches. Elle se disait qu'elle avait une sacrée chance, que sa vie était douce, agréable et intéressante.

Et puis un jour, sans prévenir, une distance a commencé à se glisser entre elle et les autres, entre elle et ses actes. Elle ne vivait plus, elle se regardait vivre. Un brouillard la séparait de son environnement. Peu à peu, la brume s'est immiscée en elle. Marianne s'est mise à douter : sa vie était-elle si intéressante ? Les sentiments qui la liaient à Arnaud étaient-ils si profonds ? Son boulot était-il si satisfaisant ?... Au début, ses questions lui semblaient inhabituelles mais cohérentes. « Passé 40 ans, se disait-elle, il est normal de faire le point. » Or au fil des semaines, elle se percevait de plus en plus fragile, déstabilisée. Elle n'était plus sûre de rien et n'avait plus confiance en elle. Dans son boulot, elle redoutait sans cesse de se tromper et de commettre des erreurs. Elle se sentait prête à fondre en larmes à la moindre réprobation.

Ce qui la troublait le plus, c'est qu'il ne s'était rien passé de particulier dans sa vie et qu'elle n'avait rien à reprocher à qui que ce soit. Elle avait beau chercher, elle ne parvenait pas à mettre le doigt sur un « vrai » problème. Après avoir essayé de cacher son malaise à son entourage, Marianne a décidé d'en parler à ses proches et de leur demander de l'aide. C'est ainsi que peu à peu, elle a reconstruit sa solidité intérieure.

Marianne a traversé une vraie crise de fond, une crise existentielle de laquelle elle a mis plusieurs mois à sortir. Elle s'est demandé si elle devait changer de boulot, de mari, d'amis... Elle a imaginé toutes les voies de sortie possibles. Au bout de ce chemin, parfois ennuyeux et souvent difficile, elle n'a pas changé grand-chose à son existence.

« Mais après cette période, j'ai eu l'impression de continuer pour de bonnes et vraies raisons, explique-t-elle aujourd'hui. Comme si ce que j'avais construit sans trop réfléchir quand j'étais plus jeune, je choisissais de le poursuivre en toute conscience. Et ça fait une sacrée différence ! »

Le mal-être
au cœur de la crise

Traverser une crise, ça fait mal ! C'est même souvent à cela que l'on repère une crise : on se sent mal, on a le moral en berne, on ne sait plus à quoi se raccrocher... Ce mal-être peut aller du simple malaise à la souffrance intense. Cette différence d'intensité et de « couleur » dépend à la fois de la crise elle-même et de la capacité de résistance de l'individu qui la traverse.

Le mal-être est d'abord provoqué par la déstabilisation. Passer de la phase de fusion à la phase de différenciation implique une perte de repères qui mine notre sécurité intérieure. Plus tard, lorsque la personne franchira un nouveau cap et passera en phase d'intégration, elle trouvera d'autres jalons, des points d'appui qui lui permettront d'intégrer une nouvelle assurance et de régénérer sa confiance. En attendant, elle se sent comme l'aventurier qui traverse un fleuve tumultueux sur une passerelle en bois branlante. Si elle s'accroche aux cordages, elle ne peut plus avancer, et risque de rester coincée dans cette situation périlleuse. Pour mettre un pied devant l'autre, il faut absolument qu'elle lâche le bastingage de fortune. Alors, la dynamique du mouvement créera une sorte de stabilité provisoire qui lui permettra de franchir le fleuve pour poser à nouveau le pied sur la terre ferme. Hélas ! il arrive que l'on doive franchir l'obstacle pendant un orage. Des bourrasques font alors trembler les cordages. Les planches de bois deviennent glissantes. La passerelle tout entière oscille au gré des coups de vent. Chaque pas devient difficile. Et pourtant, il faut continuer à avancer malgré les conditions menaçantes.

Dans la vie quotidienne, chacun de nous se retrouve périodiquement sur une passerelle de ce type. Certains avancent avec plus d'assurance que d'autres, mais nous parvenons *grosso modo* à braver le sentiment d'insécurité que la situation fait émerger. Le problème se pose vraiment lorsqu'éclate l'orage de la souffrance. Plus la crise est violente, plus on souffre et plus l'avancée devient difficile, au point que l'on se retrouve parfois complètement paralysé au milieu du chemin, incapable de faire un pas de plus.

Nous sommes inégaux devant la souffrance. Certains d'entre nous sont beaucoup plus fragiles que d'autres. Ces différences sont liées à ce que nous avons vécu pendant notre enfance, à la sécurité intérieure et à l'autonomie que notre environnement (en particulier nos parents) nous a permis de construire. À cela s'ajoutent des disparités liées au type de crise que

À chacun sa crise...

nous traversons : personnelle ou sociale, affective ou
professionnelle...

L'histoire de Pablo :
Je suis un roc, mais...

Pablo s'est toujours considéré comme un être fort et courageux. Tout petit, il protégeait les plus faibles dans la cour de l'école lorsqu'ils se faisaient importuner par des grands. En devenant adulte, il a acquis une carrure de rugbyman qui le rend impressionnant. Mais il suffit qu'il sourie pour que sa gentillesse éclate au grand jour. « Un loukoum dans un corps de catcheur » : c'est ainsi qu'il se qualifie.

Pablo a toujours été sûr de lui. Il était apprécié dans son milieu professionnel (il est garde du corps auprès de personnalités du show-business), multipliait les conquêtes tout en essayant de ne faire souffrir personne, était prévenant et attentif à l'égard de ses amis..., jusqu'au jour où sa mère est tombée malade. Son père était mort plusieurs années auparavant et Pablo, fils unique, avait bien encaissé le choc. Quand sa maman chérie lui a annoncé qu'elle avait un cancer, il a fait confiance à sa solidité et s'est dit qu'il résisterait à l'épreuve. Il l'a accompagnée pendant plusieurs mois, s'occupant de tout, organisant son hospitalisation à domicile... Lorsqu'elle a rejoint son mari, Pablo a ressenti une sorte de soulagement : la vie qu'elle menait depuis le début de sa maladie ne méritait pas d'être prolongée ; désormais, elle ne souffrait plus. C'est trois mois plus tard qu'il s'est effondré. Au début, il ne ressentait pas de chagrin, mais il avait l'impression de se désagréger de l'intérieur. Il ne se sentait plus capable de protéger qui que ce soit.

Il avait même peur. Il lui a fallu plusieurs semaines pour parvenir à laisser son chagrin remonter vers la surface. C'était comme si toutes les douleurs, petites et grandes, accumulées au cours de sa vie, profitaient de cette ouverture pour s'exprimer.

Pablo n'a pas réussi à gérer tout seul cette crise. Après plusieurs mois, il a accepté de consulter un psychothérapeute qui l'a aidé à se reconstruire. Aujourd'hui, il a retrouvé sa force.

La crise qu'a traversée Pablo s'est révélée beaucoup plus intense qu'il ne le pensait au départ. La résonance affective provoquée par la disparition de sa mère a déclenché une réaction en chaîne aboutissant à une souffrance destructrice. Autour de lui, certains n'ont pas compris comment ce grand costaud pouvait s'écrouler ainsi. Pour eux, la disparition d'un parent à un âge naturel (Pablo avait alors 42 ans, sa mère 78 ans) n'avait pas de quoi faire chanceler un tel roc. Mais comme tous les colosses, Pablo avait un peu d'argile dans les pieds. S'il était taillé pour résister aux pressions sociales et supporter sans broncher les crises professionnelles, il possédait une faille, une fragilité jusque-là bien cachée (même à ses propres yeux) qui s'est révélée au grand jour lorsque sa mère a disparu.

Dans une crise, ce ne sont pas les événements eux-mêmes qui nous font souffrir, c'est plutôt la résonance qu'ils provoquent à l'intérieur de nous. Notre douleur nous appartient en propre. Nous pouvons en parler, l'exprimer, mais nous sommes seuls à la ressentir. Elle fait partie de ce que nous possédons de plus intime. À ce titre, quel que soit notre seuil de résistance, nous devons respecter la souffrance lorsqu'elle se manifeste. Cela ne signifie pas qu'il y faille plonger sans aucun recul. Mais il faut éviter toute tentation de l'occulter. On ne peut pas éradiquer la douleur. La souffrance est un message qu'il s'agit d'entendre. Lorsqu'on cherche à la nier, elle finit parfois par se manifester dans le corps. Celui-ci exprime alors par des maladies psycho-somatiques (troubles du sommeil, éruptions cutanées, difficultés digestives...) ce que l'on refuse d'entendre.

Huit étapes
pour sortir de la douleur

Lorsqu'on étudie de près le déroulement de crises de vie sérieuses (perte d'emploi, séparation brutale...), on s'aperçoit que celui-ci ressemble de près à ce que l'on traverse quand on vit un deuil. La spécialiste des soins palliatifs Elisabeth Kübler-Ross[7] a été l'une des premières à étudier les phases du deuil. D'autres ont repris et poursuivi ses travaux, notamment la psycho-thérapeute Anne Ancelin Schützenberger. Dans *Sortir du*

---

[7]   Cette psychiatre américaine d'origine suisse a créé les premières unités de soins palliatifs destinées à accueillir les malades en fin de vie. Elle a étudié la manière dont les malades et leurs proches réagissent lorsque la mort approche. Elle a notamment publié *La mort est un nouveau soleil* (Éd. Pocket, Paris, 2005) et *La Mort, dernière étape de la croissance* (Éd. Pocket, Paris, 2002).

deuil [8], elle décrit ces phases que l'on traverse lorsque l'on perd un proche. Ce sont ces mêmes paliers que l'on doit franchir quand on vit d'autres types de crises. Car qui dit crise dit perte. Celle-ci peut être plus ou moins importante, mais sortir de la crise nécessite de faire le deuil de ce que l'on a perdu.

Nous ne traversons pas toujours la totalité de ces phases, et pas forcément dans cet ordre. Certaines se mélangent ou s'intervertissent. Parfois, on a même l'impression de reculer. C'est que plus la souffrance est importante, plus on a tendance à s'identifier à elle. Si la situation dure trop longtemps, on finit par ne faire qu'un avec la douleur. L'idée de la voir disparaître devient alors angoissante, comme si on avait peur de se dissoudre en même temps qu'elle. Dans *Le Prophète*,

---

[8] Ouvrage cosigné par Évelyne Bissone Jeufroy, paru en 2008 aux Éditions Payot, coll. « Petite Bibliothèque Payot », Paris.

Voici comment se déroule
une crise à l'intérieur de nous

∽ **Première étape : la sidération.**
On a du mal à réagir, la situation
ne semble pas réelle.

∽ **Deuxième étape : le déni.** On refuse
la réalité. On se dit que ce n'est pas vrai.

∽ **Troisième étape : la colère.** C'est le début
de la révolte. On n'accepte pas la situation,
on en veut à celui qui nous a quittés,
au directeur qui nous a licenciés...

∽ **Quatrième étape : la peur.** On a
l'impression que l'on n'en sortira jamais, que
l'on n'aura pas la force de surmonter la crise.

∽ **Cinquième étape : la tristesse.** On pleure
ce que l'on a perdu, qu'il s'agisse d'une

personne ou d'une situation. C'est le début
de la prise de conscience.

❧ Sixième étape : l'acceptation.

On commence à regarder la situation en
face et on évalue la perte. La souffrance
s'atténue. C'est le premier pas vers
la reconstruction.

❧ Septième étape : le pardon.
On peut enfin
sortir de la rancune. On a accepté la perte,
on n'a plus qu'à pardonner à celui qui nous
l'a fait subir.

❧ Huitième étape : le sens.
On arrive
à s'expliquer ce que la crise vécue
signifie dans notre vie. Parfois, on peut
même percevoir les aspects positifs de
la transformation et les bénéfices que
l'on peut en tirer. La crise est passée...

Khalil Gibran écrit : « Qui peut quitter, sans regret, sa douleur et sa solitude[9] ? » C'est ce qu'a vécu Pablo quand il s'est retrouvé « au fond du trou ». Peu habitué à ressentir de la souffrance, il s'est « collé » à elle. Pour se retrouver, il lui a fallu plonger profondément en lui, au-delà de la douleur, à la recherche de son être vrai. « Je me connais beaucoup mieux aujourd'hui, dit-il. Je m'aperçois que j'ai vécu pendant plus de quarante ans sans savoir qui j'étais. » Mais pour que la crise devienne ce révélateur bénéfique, on doit arriver à défaire les amalgames toxiques.

---

[9] *Le Prophète*, Khalil Gibran, Éditions Albin Michel, coll. « Spiritualités vivantes Poche », Paris, 1990.

Honte et culpabilité

Ces deux sentiments sont souvent présents dans les crises. On se sent coupable de ce qui nous arrive, même si l'on n'y est pour rien. On a honte de ne pas réussir à rebondir plus vite, de ne pas être à la hauteur de nos propres attentes.

Honte et culpabilité ont des racines différentes. La première naît de la confrontation avec le regard des autres. Lorsqu'on traverse une crise, l'image de soi est fragilisée. Il suffit alors d'une remarque par laquelle une personne nous renvoie une image dévalorisante : l'écho en nous devient disproportionné. Un simple « Secoue-toi » ou un « Il n'y a pas de quoi en faire un drame » nous déstabilisent et font surgir un sentiment de honte, par le seul fait qu'on n'offre pas aux autres l'image qu'ils attendent de nous – et ce, même quand ces paroles sont proférées avec les meilleures intentions du monde. Les crises sociales (perte d'emploi, échec professionnel, chômage...) sont particulièrement vécues de manière honteuse. Souvent, il n'est même pas nécessaire qu'un autre intervienne. Nous intériorisons le sentiment de honte et projetons un « autre » qui nous regarderait, alors même que celui-ci n'existe pas. Cet autre, c'est la société tout entière symbolisée dans un seul regard. La honte sociale finit par faire obstacle à notre rétablissement en nous enfermant dans un regard dévalorisé et dévalorisant qui mine toute tentative de résolution de la crise.

La culpabilité est un sentiment plus intime. C'est notre « juge intérieur » qui nous accuse d'une faute, réelle ou imaginaire, toujours amplifiée. Dans les moments de rupture amoureuse, par exemple, celui qui est quitté a tendance à remettre en question le moindre de ses gestes : « je n'ai pas su..., je n'ai pas voulu..., je n'ai pas osé... ». Il porte sur ses épaules une faute qui, le plus souvent, n'existe pas. Mais à défaut de pouvoir adresser ses reproches à l'autre, ou à force de l'avoir trop fait et sans résultat, il retourne les armes contre lui. La culpabilité qu'il ressent alors fait résonner la souffrance de la séparation. Une fois encore, tout se mélange et freine la transformation qui permettrait de sortir de la crise.

Parfois, la honte et la culpabilité s'emmêlent au point qu'on ne sait plus très bien de quoi on a honte ni de quoi on se sent coupable. C'est ce qui est arrivé à Caroline.

L'histoire de Caroline : quand la solitude devient une faute...

Caroline vivait avec Paul depuis sept ans. Elle sentait bien que son couple ronronnait, mais elle se disait que c'était normal et que tous les couples traversaient des périodes d'ennui. D'autant que la vie au quotidien n'était pas désagréable : ils ne se disputaient pas, n'avaient pas de gros points de discorde... Ils s'étaient éloignés l'un de l'autre, voilà tout. Le jour où Paul lui a annoncé qu'il la quittait pour une autre, le ciel s'est déchiré au-dessus de sa tête. Elle ne s'y attendait pas. En quelques jours, il avait fait ses bagages et s'était installé ailleurs. Caroline a sombré peu à peu dans une solitude douloureuse. Elle ne cessait de chercher où elle avait échoué, ce qu'elle avait raté dans ce couple auquel elle avait cru. Deux ans plus tard, elle n'avait toujours pas remplacé son compagnon enfui. Elle avait trouvé mille raisons à cet échec, autant dire qu'elle n'en avait trouvé aucune.

Les années passant, elle s'était cependant habituée à sa solitude et n'était pas pressée de reformer un couple. Elle se sentait plus exigeante car elle avait l'impression de mieux savoir ce qu'elle voulait et, surtout, ce qu'elle ne voulait plus. Mais certains de ses amis tentaient encore de la sortir à tout prix de sa situation et lui présentaient des prétendants, comme si son nouveau mode de vie les dérangeait. Après avoir chassé la culpabilité, elle se retrouvait désormais confrontée à la honte. Elle avait la sensation qu'autour d'elle, on percevait sa

situation comme un nouvel échec. On lui disait :
« Ma pauvrette, tu es encore toute seule ? Essaie
d'être moins exigeante ! » ; « Tu n'as pas encore fait
le deuil de cet imbécile qui s'est moqué de toi ? » ;
« Sors un peu plus. Tu ne vas quand même pas
rester seule toute ta vie ! » Cela lui donnait envie
de rentrer sous terre. C'est ce qu'elle a fait, d'une
certaine manière : elle s'est éloignée de ce groupe
d'amis, les rencontrant moins souvent pour se
protéger. Pendant six mois, elle s'est reconstruite
auprès des autres amis, ceux qui se réjouissaient
de la voir aller mieux, même si c'était au prix d'un
célibat qui se prolongeait.

Dans les périodes de crise, il est essentiel de ne pas se laisser miner par ceux qui, agissant en toute bonne foi, nous enfoncent néanmoins dans nos difficultés. Caroline a eu raison de privilégier les amis qui lui disaient : « Tu verras, il y a du bon dans la solitude. Tu vas te sentir libre comme jamais ! » ; « C'est formidable d'être célibataire. Profites-en, ça ne va pas durer. » Ces réflexions l'ont aidée à sortir de sa crise, comme autant de petites pierres amassées par elle pour se reconstruire.

Crises du temps
et temps des crises

∾⟨✦⟩∾

Certaines crises de vie sont déclenchées par le temps qui passe. Il n'est pas nécessaire pour cela d'être devenu vieux ni de regarder en arrière pour faire le bilan de sa vie. Les crises liées au temps commencent très tôt.

Les adolescents traversent une période de grande déstabilisation. Leur monde extérieur ne change pas (les parents continuent à les regarder comme des enfants), mais leur vie intérieure se transforme radicalement. Ils ont un pied dans l'âge adulte (à l'intérieur) et un pied dans l'enfance (à l'extérieur). Le tiraillement est parfois d'une violence extrême.

La crise du milieu de vie est du même ordre. Selon les individus, elle peut se manifester aux abords de la quarantaine ou attendre dix ans de plus. Le résultat est le même : on réalise brutalement que le temps de la jeunesse est enfui, que l'on a parcouru la moitié du chemin, voire davantage. Le changement de la relation au temps modifie les rapports que l'on entretient avec soi-même. Pour certains, ce brusque réveil se résume à une injonction d'agir : « je dois cesser de remettre à plus tard..., je dois arrêter de rêver ma vie et commencer à me réaliser... » Pour d'autres, au contraire, il est temps de ralentir le rythme : « je n'ai pensé qu'à mon boulot..., je n'ai pas vu grandir mes enfants..., je n'ai pas profité de ce que j'ai réalisé... » Dans un cas comme dans l'autre, l'urgence est de revenir à soi.

Plus tard, passé la soixantaine, la relation au temps se modifie encore. L'urgence n'est plus à... l'urgence !

C'est d'acceptation qu'il est alors question. L'essentiel de la vie est derrière soi, en termes de quantité mais pas forcément en termes de qualité. C'est donc cette dernière qu'il faut cultiver : comment donner de l'intensité aux années qui restent ? Comment définir ses véritables priorités ? Comment éviter les contraintes et les stress inutiles pour se concentrer sur l'essentiel ?...

Dans tous les cas, les crises liées à l'âge et au temps exigent une acceptation rapide de la situation. Lorsque la crise implique une perte d'objet d'amour (divorce, mésentente amicale...) ou de situation sociale (licenciement, échec professionnel...), certains ont tendance à imaginer qu'ils vont pouvoir récupérer ce qu'ils ont perdu. Dans de rares cas, cela fonctionne à condition que les deux partenaires fassent en même temps un travail de remise en question. Mais la plupart du temps, l'équilibre passé ne revient pas. Cette étape intermédiaire est alors non seulement inutile, mais absurde. Car lorsqu'ils finissent par plonger dans la phase d'acceptation, celle-ci se révèle particulièrement inconfortable, surtout s'ils ont passé leur vie à s'étourdir dans une fuite en avant illusoire.

Quel que soit l'âge, les crises liées au temps exigent une pause. On doit ralentir son activité et ce, pendant le temps nécessaire à l'acceptation. Parfois même, il faut se réconcilier avec la paresse. Aujourd'hui, elle est dévalorisée, méprisée... Pourtant, elle constitue notre premier pas de réconciliation avec le temps : on doit s'arrêter et le regarder passer, comme on observerait le cours d'une rivière. Alors seulement, on peut prendre conscience de son infinie richesse. Car grâce à ces parenthèses au cœur desquelles on ne *fait rien*, on a enfin la possibilité de *faire* un tas de choses nouvelles : sentir, ressentir, observer, écouter, rêver... On peut dès lors rendre à nos sens leur véritable place.

L'histoire de Lulu :
Le boulot avant tout !

Lucien s'est lancé très tôt dans la vie active, pour subvenir aux besoins de sa famille, à savoir à ceux de sa mère et aux siens. Il avait perdu son père lorsqu'il avait 9 ans, et n'avait ni frère ni sœur. Sa mère et lui formaient une cellule familiale fusionnelle. À 20 ans, il voyait déjà se profiler une carrière : il était représentant dans un laboratoire pharmaceutique à un moment où cette industrie était florissante. Il était doué pour les relations humaines, bosseur, fiable... Il a grimpé les échelons rapidement, sans se poser de questions. Il s'est marié mais n'a pas eu d'enfant, sans doute sous l'influence de sa mère. Celle-ci ne lui avait pas laissé beaucoup de place pour un épanouissement personnel par lequel il l'aurait reléguée au rang de grand-mère.

À 65 ans, Lulu s'est retrouvé retraité. D'un coup, il a été confronté à une situation nouvelle : de longues journées à remplir, sans rôle social défini ; un couple dans lequel il avait brillé par son absence (il passait ses semaines sur les routes et ne revenait à la maison que le week-end). Le choc fut rude. Désœuvré, il a maladroitement tenté de s'investir dans la vie domestique, mais sa femme, qui s'était toujours débrouillée sans lui, vivait très mal ces intrusions.

Il a commencé à se poser des questions sur sa vie, sur ce qu'il avait réussi et surtout sur ce qu'il avait manqué, notamment en ne devenant pas père. Pendant de longs mois, il n'a cessé de regarder en arrière, jusqu'au moment où il a enfin posé son regard sur la vie qui s'ouvrait devant lui. Il a alors cherché des moyens de la rendre agréable et fructueuse. Il a mis son expérience au service des autres en s'engageant dans une association œuvrant pour l'insertion, où il aidait des jeunes en rupture d'emploi à trouver leur voie. Puis il s'est mis à écrire. Aujourd'hui, à 72 ans, il regarde enfin l'avenir avec sérénité.

Autrefois, des rituels aidaient les individus à passer les caps symboliques de l'existence : les rituels religieux, le service militaire, le mariage... De nos jours, la religion est en perte de vitesse, la vie maritale n'implique plus forcément le mariage, le service militaire a disparu. Nous passons sans balises repérables les caps symboliques entre l'adolescence et la vie adulte, puis entre la vie active et la retraite. Le travail d'acceptation du temps est devenu plus difficile. C'est à chacun de trouver, en lui-même, les repères indispensables.

Parallèlement aux « crises du temps », il faut également prendre en compte le « temps des crises ». Lorsqu'une crise survient, c'est que l'on est prêt à la vivre, même si on ne le sait pas encore. Rappelez-vous David : il sentait confusément que ses relations amicales n'étaient plus satisfaisantes, après avoir rencontré Élise. Aline percevait une forme d'insatisfaction professionnelle bien avant que sa situation se dégrade. Quant à Caroline, des signaux annonçant sa séparation avaient forcément été perceptibles avant le coup de tonnerre du départ d'Arnaud, même si elle avait inconsciemment refusé de les voir. C'est pourquoi il vaut mieux essayer de faire confiance au « temps de la crise », et se dire que celle-ci survient à un moment où la transformation qu'elle implique est nécessaire et qu'elle se révélera sûrement bénéfique une fois l'orage passé. Cette attitude possède deux avantages : d'abord, elle permet d'accepter plus rapidement l'idée du changement ; ensuite, quand on est plongé dans une crise, toute forme de résistance ne fait que rendre le chemin plus difficile et plus douloureux.

Imaginez la vie comme une rivière qui suit son cours, parfois calme et paisible, parfois animé par des rapides et des turbulences. Ceux qui restent accrochés aux herbes de la rive subissent de plein fouet le courant. Leur regard reste posé sur le même rivage. Ils ne prennent pas de risques, mais leur position est très inconfortable et surtout, ils n'ont aucune chance d'aller voir plus loin, là où la rivière se calme et flâne avant de nouveaux rapides. Ceux qui acceptent de lâcher les herbes choisissent de suivre le courant. Même s'il leur faut nager pour éviter les écueils, leur position est plus confortable. Lorsqu'ils arriveront dans un endroit où la rivière se calme, ils pourront en outre profiter du paysage et de la douceur de l'eau. Les crises de vie que nous traversons nous incitent à lâcher les herbes de la rive pour profiter des innombrables surprises que nous réserve la rivière.

Un dernier point : le temps est toujours notre allié sur le chemin de l'évolution. Nous ne cessons d'apprendre de la vie, surtout dans les moments de crise. Les premières crises que nous traversons nous apparaissent comme des obstacles insurmontables. Elles envahissent tout notre paysage. Mais on en sort plus fort, mieux armé pour affronter les suivantes. Dès la seconde crise, nous savons que nous avons déjà été capables de surmonter une épreuve. Nous la traversons donc avec un peu plus de confiance. Au fil des crises, nous nous renforçons chaque fois un peu plus, à condition de ne pas occulter ces crises et d'essayer d'en tirer des enseignements. La gestion positive des crises devient ainsi une école de vie au long cours, dont les leçons continuent très longtemps à porter leurs fruits.

Chapitre 2

Au cœur des crises, des bénéfices cachés...

Même au fond des situations les plus dramatiques, certains êtres particulièrement solides et doués pour la vie parviennent à puiser en eux des ressources qui leur permettent de rebondir. Le psychiatre et éthologue Boris Cyrulnik[10] a consacré plusieurs ouvrages à cette compétence hors du commun, appelée « résilience ». L'exemple le plus frappant est celui de ces sujets revenus de captivité après la fin de la Seconde Guerre mondiale. Parmi eux, deux des plus grands psychanalystes du siècle dernier : Bruno Bettelheim et Viktor Frankl. « Souffrir est l'un des moyens essentiels pour progresser. Paradoxalement, c'est même l'un des plus

---

[10] Il a notamment publié aux éditions Odile Jacob *Un merveilleux malheur* (2002), *Les Vilains Petits Canards* (2004) et *Autobiographie d'un épouvantail* (2010).

faciles, disait ce dernier. L'évolution de l'individu autant que celle du genre humain est faite d'une suite d'erreurs surmontées. Toute l'histoire intellectuelle de l'homme consiste à se tromper pour finalement trouver la réponse juste[11]. »

Il ne faudrait pas croire pour autant qu'il soit nécessaire de souffrir énormément pour évoluer et se transformer. Même les petites crises de vie recèlent un trésor pour ceux qui font l'effort de les traverser en pleine conscience, sans s'y attarder et en leur accordant l'attention qu'elles méritent.

---

[11] Dans un entretien au magazine *Psychologies*, n° 142.

Devenez le héros de votre vie

Vos crises peuvent faire de vous un héros ! Ne vous y trompez pas : vos petites désillusions, vos séparations, vos échecs professionnels, votre difficulté à accepter le temps qui passe ne vont pas d'un coup de baguette magique vous transformer en un superman volant dans les airs au secours des faibles et des malheureux, ni faire de vous un Jason bravant tous les dangers pour aller chercher la précieuse Toison d'or qui vous assure-rait la victoire. Ce n'est pas de ce type d'héroïsme qu'il est question. Ramené à l'échelle de nos vies, l'héroïsme consiste simplement à avancer, coûte que coûte, sur notre chemin de l'épanouissement et de l'évolution, et à chercher sans relâche notre propre vérité afin de vivre au plus près de nos valeurs. Ce n'est déjà pas si mal !

Dans sa célèbre série *Star Wars*[12], le cinéaste et scénariste américain George Lucas s'est largement inspiré des travaux du mythologue Joseph Campbell pour décrire la quête de ses personnages. C'est peut-être l'une des clés du succès planétaire de ces films : les héros suivent les pas des grands personnages de la mythologie, et chacun de nous peut y retrouver des archétypes fondateurs. Anthropologue de formation, Campbell s'est intéressé à d'innombrables mythes issus de sociétés très diverses[13]. Il a remarqué que toutes ces histoires, très différentes dans leur forme, présentaient de nombreux points communs. Se fondant également sur les travaux du psychanalyste Carl Jung, il en a extrait les principaux archétypes pour

---

[12] Cette série se compose de six films intitulés *La Menace fantôme*, *L'Attaque des clones*, *La Revanche des Sith*, *La Guerre des étoiles*, *L'empire contre-attaque* et *Le Retour du Jedi*, tous parus en DVD et en Blu-ray Disc™.

[13] Il a publié de nombreux ouvrages, dont certains sont parus en France aux Éditions Oxus, Paris : *Puissance du mythe* (2009), *Le Héros aux mille et un visages* (2010) et *Des mythes pour se construire* (2011).

les présenter au grand public, afin que chacun puisse les utiliser pour sa propre évolution.

Pendant les moments de crise, nous nous retrouvons, de fait, dans la situation du héros mythologique : confrontés à des difficultés, nous devons trouver en nous-mêmes des ressources nous permettant de traverser l'épreuve puis de réagir pour grandir. Pour gérer positivement vos crises, vous pouvez donc vous inspirer des héros de légende, même lorsqu'il s'agit de résoudre des problèmes beaucoup plus terre à terre et infiniment moins grandioses. Voici quelques pistes qui pourront vous aider à avancer dans cette voie.

- **C'est la quête qui fait le héros.** Autrement dit, c'est la crise qui pousse l'individu à se dépasser. Dans les mythes, le héros est toujours, au départ, un personnage simple qui n'a pas spécialement

envie de se lancer dans de grandes aventures.
Il est comme vous et moi : il ne pense disposer
d'aucun pouvoir particulier et n'a pas une très
grande confiance en lui. C'est au cours de son
périple qu'il deviendra un héros. C'est le cas
d'Ulysse, de Moïse, du roi Arthur... et, plus près
de nous, de Luke Skywalker dans *Star Wars*. Son
voyage symbolise le chemin que chacun de nous
parcourt au cours de sa vie pour se rapprocher
de lui-même et découvrir à la fois ses qualités
et ses valeurs.

Lorsque nous traversons une crise, nous nous
retrouvons à la même place que le héros des
mythes et des contes. Nous sommes obligés
d'affronter une situation que nous n'avons pas
voulue, même si nous avons parfois une part
de responsabilité, consciente ou inconsciente.

Comme le héros, nous n'avons pas d'autres choix que d'avancer, affronter l'inconnu et accepter le changement.

• **Pour démarrer sa quête, le héros doit franchir un « seuil » qui le fait pénétrer dans une nouvelle situation.** Le franchissement du seuil est la première étape du voyage. Le héros quitte sa vie, change de situation et se trouve embarqué, souvent malgré lui, dans une quête qu'il n'a pas choisie. De même, lorsqu'une crise nous cueille au passage, nous sommes propulsés dans une nouvelle situation, inconfortable, que nous n'avons pas voulue. Chaque crise nous oblige à franchir un seuil qui, une fois passé, n'autorise aucun retour en arrière. Lorsqu'un deuil, une rupture brutale, un licenciement injuste nous « laissent sur le carreau » en nous donnant la sensation d'échouer dans un univers complètement désarticulé, nous nous retrouvons, comme le héros au moment où il franchit le seuil, obligés d'avancer vers cette inévitable quête de soi.

- **Le héros se trouve confronté à une part de lui-même qu'il ne connaissait pas.** Dans l'Antiquité, il était écrit sur le fronton du temple de Delphes : « Connais-toi toi-même, et tu connaîtras l'univers et les dieux . » En découvrant, grâce à son voyage, qui il est vraiment, le héros perce à jour les secrets du monde. Nos crises de vie nous offrent la même possibilité : découvrir un peu plus qui nous sommes à chaque pas effectué pour en sortir et, par là même, améliorer notre connaissance du monde qui nous entoure.

On pense à l'histoire de Jonas telle qu'elle est rapportée dans la Bible : il séjourna trois jours et trois nuits dans le ventre d'un gros poisson (on parle généralement d'une baleine), le temps de prendre conscience qu'il avait bafoué Dieu. Cette histoire symbolise la plongée que nous sommes parfois forcés d'effectuer en nous-mêmes pour découvrir qui nous sommes vraiment, quel être est caché sous les masques sociaux, les désirs fabriqués, les injonctions familiales..., découvrir tout ce qui nous a construits et, en même temps enfermés. Les crises de vie nous donnent l'opportunité d'en prendre conscience. Lorsque nos certitudes vacillent, que nos points de repère s'effondrent et que la souffrance brouille notre vision, nous pouvons toujours nous réfugier au fond de nous-mêmes à la recherche de nos vraies valeurs. C'est dans l'état d'ébranlement dû aux crises que nous sommes amenés à toucher ce qui se cache vraiment au fond de nous. La crise devient ainsi la matrice de la transformation, de la mutation, comme le ventre de la baleine l'a été pour Jonas. Lorsque nous en sortons, nous ne sommes plus les mêmes. C'est un être nouveau qui émerge de la crise ; non pas un être différent, mais un nouveau soi. La sortie de crise signe une sorte de « renaissance ».

• **C'est au fil de ses aventures que le héros forge sa force.** Il y puise aussi la puissance, la détermination et surtout le discernement qui lui permettront de tirer profit de ses erreurs pour prendre des décisions justes. De même, quand nous traversons une crise, nous sommes confrontés à des choix, nous devons prendre des décisions, nous nous trompons parfois, mais cela forge notre capacité de jugement. Nous pouvons nous appuyer par la suite sur cette expérience pour développer notre confiance et accroître notre sécurité intérieure.

- **Le héros doit faire preuve de force morale et d'éthique pour avoir une chance de s'en sortir.** Il doit agir avec justesse, pour de bonnes raisons, en appliquant les lois et en respectant les règles, contrairement au personnage de Dark Vador dans *Star Wars*. En choisissant la voie des Ténèbres, celui-ci est « passé du côté obscur de la force ».

Nous aussi, lorsque nous traversons une période de vie difficile, nous risquons de tomber dans « le côté obscur de la crise » en choisissant la voie de la rancune, de la colère ou de la culpabilité. Il est normal de traverser ces sentiments quand on est déstabilisé, blessé par les autres ou par les événements. Mais il faut éviter de s'y complaire et de s'y lover trop longtemps. Pour sortir de la crise et naître à nouveau, nous devons dépasser cette obscurité intime.

- **Au cours de sa quête, le héros doit affronter des monstres et des démons.** Songez à Hercule : dans un accès de folie meurtrière, ce demi-dieu massacra ses ennemis, mais aussi sa femme et ses enfants. Pour qu'il expie cette faute, Zeus, son père, lui infligea douze épreuves réputées insurmontables : étouffer le lion de Némée, tuer l'hydre de Lerne, vaincre un géant à trois corps..., et même descendre aux enfers pour enchaîner Cerbère, le chien gardien des lieux, et libérer Thésée. Au cours de leur voyage, tous les héros rencontrent des créatures monstrueuses qu'ils doivent affronter et vaincre pour surmonter les épreuves.

Dans les périodes de crise, ce ne sont pas des géants, ni des cyclopes, ni des gorgones que nous devons combattre. Ce sont nos propres démons intérieurs : la peur paralysante, la culpabilité qui nous enchaîne à des fautes imaginaires, l'angoisse qui nous anesthésie, la colère qui nous aveugle... Pour sortir de la crise, nous devons les apprivoiser. C'est cette victoire sur nous-mêmes qui nous donne plus de forces pour affronter les crises à venir.

- **Le voyage du héros possède une dimension initiatique.** Contrairement à l'enseignement, l'initiation repose sur une relation directe entre un maître et un disciple. Tel Mentor, qu'Ulysse chargea d'assurer l'éducation de son fils pendant qu'il serait parti prendre part à la guerre de Troie, le maître ne dit jamais directement à son élève ce qu'il doit faire. Celui-ci est censé, à partir des informations et des exemples que lui fournit son maître, trouver lui-même la solution. C'est ainsi qu'il forge son aptitude à prendre des décisions justes et qu'il apprend à juger par lui-même. Dans *Star Wars*, maître Yoda fait de cette manière l'initiation de Luke Skywalker, et lui permet d'acquérir force et discernement.

Nos crises de vie peuvent ainsi devenir nos mentors, nos maîtres de vie, à condition que nous n'essayions pas de les occulter. Nous devenons alors des apprentis capables de tirer parti de ce que les événements nous enseignent sur nous-mêmes et sur le monde qui nous entoure.

L'histoire de Joséphine : la paix des étoiles...

Joséphine traversait, à l'aube de la trentaine, une période plus que difficile. Elle avait l'impression qu'un mauvais génie planait au-dessus d'elle pour lui asséner un coup de marteau à chaque fois qu'elle sortait la tête de l'eau. Son compagnon l'avait quittée pour s'installer avec sa meilleure amie. Pour elle, ce fut un coup doublé : elle avait perdu en même temps les deux personnes dont elle s'était sentie le plus proche jusque-là. Quelques mois plus tard, l'agence de pub où elle travaillait avait mis la clé sous la porte. Et voilà que son père était atteint d'une grave infection contractée à l'hôpital au cours d'une intervention bénigne. Elle avait la sensation d'être la personne la plus malchanceuse au monde. Paralysée par la peur, elle renonçait d'avance à entreprendre quoi que ce soit, comme si elle savait que tout était voué à l'échec.

Nous étions à la fin des années 1970. Pour se changer les idées, Joséphine allait souvent au cinéma toute seule. Elle sortait, sans trop savoir quel film elle allait voir, et entrait dans une salle un peu au hasard. Ce jour-là, elle a vu le premier épisode de La Guerre des étoiles. Sur le moment, elle n'a pas trouvé le film passionnant. Mais dans les jours qui suivirent, elle a repensé à ce récit de quête et commencé à percevoir des parallèles avec sa propre histoire. Elle a senti s'éveiller comme une envie nouvelle de s'en sortir. C'est à ce moment-là qu'elle est tombée, toujours par hasard, sur un article de presse qui évoquait l'aspect mythologique de ce film. Elle s'est intéressée au sujet, a lu plusieurs livres et s'est identifiée un peu plus aux héros de l'aventure.

« J'ai ressenti comme un écho, explique-t-elle aujourd'hui, et je l'ai suivi. Cela m'a d'abord permis de retrouver mon énergie. Et puis j'ai compris que l'on affronte les épreuves les unes après les autres et que, quelle que soit la difficulté, on peut toujours trouver une voie de sortie – surtout quand on n'a rien fait qui justifie la situation dans laquelle on se trouve. Ce qui était mon cas ! »

Ces histoires mythologiques peuvent vous sembler très éloignées de votre réalité quotidienne. Mais ce n'est pas un hasard si ces archétypes ont franchi les siècles. Ils recèlent des ingrédients dont nous pouvons nous saisir aujourd'hui pour devenir les héros de nos propres vies, au gré des crises que nous traversons.

Vous aussi, vous pouvez décrypter les crises que vous traversez à l'aide des symboles qui jalonnent la voie des héros, et essayer d'adapter votre comportement. Vous pouvez aussi puiser un surplus de force dans ces récits ancestraux lorsque vous vous sentez découragés et déprimés.

Imitez la stratégie du dauphin

Autre univers, autre symbolique, autres échos qui peuvent s'avérer bénéfiques pour nous : l'univers des poissons. Imaginez le monde comme un immense bassin dans lequel nous évoluons plus ou moins facilement suivant les périodes. Dans ce bassin, on trouve des carpes, qui s'efforcent de subsister sans faire de vagues, sans prendre de risques, en évitant tant bien que mal les écueils. Ces carpes ont du mal à vivre pour elles-mêmes. Elles préfèrent se réfugier dans un groupe, avec l'espoir d'être protégées contre les dangers. On y rencontre aussi des requins, qui veulent à tout prix imposer leur loi aux autres. Pour le requin, le monde est une jungle impitoyable qu'il doit dominer, car il n'envisage que deux éventualités : être le vainqueur ou le vaincu ; celui qui dévore ou celui qui est dévoré.

Fort heureusement, le grand bassin donne aussi asile à des dauphins. Ces poissons-là sont toujours prêts à jouer avec leur environnement, à s'adapter et donc à évoluer. Ils constituent la « force mutante » du bassin. Ni agressifs comme les requins, ni passifs comme les carpes, ce sont eux qui assurent l'équilibre du milieu.

À la fin des années 1990, un courant de la psychologie s'est particulièrement intéressé à ces mammifères marins dont le comportement est très atypique par rapport à celui des autres habitants des grands fonds. Au lieu d'attendre que leur environnement change, les dauphins initient eux-mêmes les mutations. Non seulement ils s'adaptent aux transformations extérieures avec une facilité déconcertante, mais ils incitent aussi leur univers à changer sous l'impact de leur propre évolution. Deux thérapeutes québécois, Dudley Lynch et Paul L. Kordis, en ont conçu un modèle d'évolution[14] qu'ils nous proposent d'imiter pour tracer notre route et négocier au mieux les virages. Ils insistent notamment sur un point important : l'attitude qui consiste à vouloir à tout prix conserver ses acquis est dépassée. L'évolution de la société et celle de l'individu se font de plus en plus rapidement, et nous ne pouvons imaginer rester confortablement installés sur ce que nous possédons sans jamais avoir à en bouger. Comme les dauphins qui suivent les vagues, nous devons coller au flot de la vie avec ses hauts et ses bas, ses flux et ses reflux. C'est ainsi que, de crise en crise, nous apprendrons à développer notre force vitale et à mieux utiliser notre énergie psychique. Le dauphin nous enseigne une manière inédite de nous ouvrir à la surprise et au futur.

---

[14] Ils ont publié *La Stratégie du dauphin* aux Éditions de L'Homme, Montréal, Québec, 2006.

L'histoire de Béatrice :
une carpe devenue dauphin

Des crises, Béatrice en a traversées beaucoup. « Comme tout le monde », se disait-elle pour éviter de se poser des questions plus profondes qui auraient risqué de la plonger dans une remise en question qu'elle redoutait. Pourtant, elle avait la sensation de bien faire. Du moins s'efforçait-elle de toujours être disponible, généreuse, attentive aux autres... Mais elle ne parvenait pas à rester en couple plus de six mois, son cher et tendre la quittant alors pour une autre. Dans son boulot, c'était pareil : à la première occasion, on lui annonçait gentiment qu'on n'avait plus besoin d'elle.

Au bout d'une dizaine d'années d'un enchaînement de déceptions, elle commença à aller vraiment mal. Elle n'avait plus l'énergie de réagir. Elle se sentait seule, nulle, méprisée... Elle avait l'impression que le monde ne voulait plus d'elle. Un jour, elle a touché le fond. Elle a même songé à en finir avec la vie, mais quelque chose s'est réveillé au fond d'elle, comme une petite flamme vacillante qui lui signifiait que tout n'était pas perdu. Elle s'est dit qu'avant de déclarer forfait, elle devait essayer de comprendre. Elle s'est lancée dans l'aventure avec l'énergie du désespoir. Elle a suivi une psychothérapie et fréquenté assidûment les stages de développement personnel. Confiance en soi, créativité, lâcher-prise..., elle a tout essayé, jusqu'à un stage de « stratégie du dauphin ». Là, ce fut une révélation. Béatrice a compris que, même si elle se racontait qu'elle agissait en dauphin, elle n'était en réalité qu'une carpe. Une carpe bien-pensante et bien adaptée, mais une carpe tout de même. Elle avait toujours vécu en croyant qu'il suffisait de ne pas s'accrocher aux problèmes pour qu'ils s'évanouissent. Mais elle n'avait jamais imaginé qu'elle devait agir pour s'adapter, et chercher en elle des ressources nouvelles. « À partir de ce moment-là, ma reconstruction a été très rapide, raconte-t-elle. J'étais sur un chemin enthousiasmant. C'était comme si j'avais déchiré un voile qui m'obscurcissait la vue. Aujourd'hui, je mène une vie normale, avec des hauts et des bas, mais je ne me sens jamais prise au dépourvu par les événements. Je réagis, je m'adapte... J'apprends tous les jours ! »

Pourquoi moi ?
« Autopsy » de la crise

Reste qu'à l'instant où nous nous retrouvons en situation de crise, notre première tentation est, généralement, de nous insurger contre le mauvais sort qui nous frappe. « Pourquoi moi ? » est notre première interrogation. Nous nourrissons, à cet instant précis, un sentiment d'injustice tenace, sauf si nous nous savons responsables des événements. C'est pour cette raison que dans une séparation, celui qui quitte souffre moins que celui qui est quitté. Cela ne signifie pas forcément que la situation du premier soit plus confortable, ni sa prise de décision plus facile. Mais il est acteur de la crise, alors que l'autre ne fait que la subir.

Ce sentiment d'injustice peut devenir très fécond si on le retourne pour en faire une question à laquelle on essaie de trouver des réponses. Du « Pourquoi moi ? » de lamentation, on passe alors au « Pourquoi moi ? » d'investigation. On peut ainsi chercher à comprendre ce qui a conduit à cette impasse, sans se fustiger, sans culpabiliser, sans se juger... juste en essayant de dénouer les fils de la toile d'araignée dans laquelle nous nous sommes laissé prendre. C'est de cette façon qu'émerge souvent le désir de changement. Pour un grand nombre de personnes, il faut une séparation pour que démarre un nouvel amour, un licenciement pour que débute une nouvelle formation, un échec pour qu'émerge une nouvelle compréhension... En eux-mêmes, les événements de vie sont neutres. Ce sont les manières dont nous les traversons et dont nous réagissons face à eux qui les colorent.

Une chose est sûre : il ne sert à rien d'incriminer les autres, la chance ou le destin. Même lorsque le monde extérieur est le premier responsable de la crise que nous virons (l'autre qui nous a quittés, le patron qui nous a licenciés, l'ami qui nous a trahis...), le matériau sur lequel nous pouvons le plus facilement travailler, c'est nous-mêmes. Nous y revenons toujours. Comme l'écrit Khalil Gibran dans *Le Prophète* : « Vous ne pouvez dissocier le juste de l'injuste et le bon du méchant. Car ils se tiennent tous deux face au soleil, de même que les fils noirs et blancs sont tissés ensemble. Et quand le fil noir se casse, le tisserand regarde tout le tissu et examine aussi son métier à tisser[15]. »

Ce « métier à tisser », cela peut être notre famille et l'impact qu'elle a eu sur notre développement. Un impact pouvant traverser plusieurs générations. Nous pouvons

---

[15] Op. cit p. 71

profiter des moments de crise pour identifier les résonances familiales que nous portons en nous. Les réponses au « Pourquoi moi ? » peuvent se dénicher au-delà de notre propre existence. Les secrets de famille, les événements anciens passés sous silence, les traumatismes subis par nos ancêtres, les fautes commises et non avouées..., tout cela se transmet de génération en génération à travers un écho émotionnel dont nous ne percevons pas l'origine.

Imaginez : une femme subit une agression un soir en rentrant chez elle. Elle se refuse à en parler à ses enfants, un garçon de 3 ans et une fille de 5 ans. Elle préfère garder le secret, prétextant qu'elle n'a pas besoin de polluer leur innocence ni d'encombrer leur histoire avec cette mésaventure, louable intention qu'on ne saurait critiquer. Mais cette femme ne peut se défaire d'une peur intense de la nuit et de la violence. Elle devient hyperprotectrice avec ses enfants, qui grandissent dans une atmosphère trop sécurisée et donc insécurisante. À l'adolescence, ils n'ont pas le droit de sortir le soir, même pour aller chez des copains que leurs parents connaissent bien et qui habitent tout près. Devenu jeune adulte, le garçon transgresse violemment les interdits maternels excessifs, tandis que la fille devient timide, voire timorée. L'un comme l'autre ont du mal à vivre des histoires d'amour durables. Ils ne peuvent imaginer que leurs difficultés, si différentes dans leur expression, puissent avoir une cause commune. Pourtant, l'impact de cette cause se transmettra à leurs propres enfants, qui eux-mêmes le légueront à la génération suivante... À chaque étape, l'écho sera atténué. Il sera aussi transformé par les personnalités qui le recevront. Mais pendant plusieurs décennies, ce secret entraînera des difficultés existentielles, provoquera des situations de crise, engendrera des échecs à répétition...

Ce type de résonance transgénérationnelle est à l'œuvre dans nos réussites comme dans nos échecs. Les crises sont des moments privilégiés pour essayer de les identifier et « rompre la chaîne » de la répétition. Il n'est pas forcément nécessaire, pour cela, d'avoir connaissance de l'événement à l'origine du processus. Lorsqu'il est ancien, en retrouver la trace est souvent impossible. Mais le simple fait d'identifier la résonance elle-même nous permet de faire ce « petit pas de côté » qui nous aidera à sortir à la fois de la répétition et de la transmission.

L'histoire de Gabriel : les erreurs de l'arrière-grand-père...

C'est un jeune homme très séduisant, intelligent et charmant, mais il n'a pas l'air de le savoir. À 25 ans, Gabriel navigue d'échec en échec. Sur le plan affectif, il se retrouve toujours dans les mêmes situations : il tombe amoureux de jeunes femmes qui le méprisent et le trompent. Il se donne pourtant à fond pour essayer de les faire changer d'avis, les couvre de cadeaux, supporte leurs sautes d'humeur... Il espère ainsi parvenir à les convaincre qu'il est un type formidable. Le problème, c'est que lui-même n'y croit pas. Si c'était le cas, il ne ferait pas autant d'efforts inutiles : il se contenterait d'être lui-même. Mais de cela, il n'est pas question, car Gabriel manque trop de confiance en lui pour imaginer qu'on puisse l'aimer pour ce qu'il est.

À force de répéter les mêmes scénarios, il a quand même fini par se poser des questions. Les similitudes étaient vraiment trop flagrantes, même à ses propres yeux. Mais il tournait les mêmes idées dans sa tête sans parvenir à trouver le moindre embryon de solution. Alors il a consulté un psychothérapeute qui a très vite flairé la répétition transgénérationnelle. Il a conseillé à Gabriel de questionner ses parents. C'est ainsi que le jeune homme a appris que sa grand-mère maternelle portait un lourd secret. Son père (l'arrière-grand-père de Gabriel) s'était pendu à 40 ans parce qu'il avait conduit à la faillite l'entreprise de menuiserie que lui avait léguée son propre père. Dans la famille, on avait toujours parlé d'un accident. En réalité, il s'était donné la mort parce qu'il ne pouvait pas supporter la honte de l'échec social ni la culpabilité d'avoir dilapidé l'acquis familial. Gabriel a grandi avec, à l'intérieur de lui, l'écho de cet échec et de cette dévalorisation masculine.

Depuis qu'il connaît cette histoire, Gabriel a beaucoup avancé dans sa recherche. Avec l'aide de son psy, il s'est détaché de cet écho qui ne lui appartenait pas. Il a travaillé sur sa propre image et a entamé une réconciliation avec lui-même. Il se sent mieux dans sa peau. Du coup, il a rencontré une jeune femme avec qui il a une relation plus paisible que dans ses couples précédents. Peut-être cela va-t-il durer....

Trouvez la voie
de votre liberté intérieure

Pour parcourir tout ce chemin, il faut se concentrer sur soi. Soi, et encore soi. Aux yeux de certains, cela peut ressembler à une méprisable résurgence de l'égoïsme. C'est une confusion fréquente dans notre société : on confond égoïsme et centrage sur soi. Pourtant, dans toutes les traditions on trouve la trace de techniques qui recommandent de se concentrer sur soi pour avoir une chance d'atteindre la transcendance. Dans les fastes de l'Inde comme dans le dépouillement ascétique du Japon, dans le débordement des rituels africains comme dans l'ascèse des monastères chrétiens, le chemin est toujours le même : on part de soi, pour arriver à soi, en passant par soi, dans le but de se dépasser... soi-même !

Qu'y a-t-il de commun entre ces démarches spirituelles et la gestion des crises ? Le fait de devoir s'intéresser avant tout à soi, justement. Et cela n'a rien à voir avec un quelconque égocentrisme. Être égocentrique, c'est penser à soi contre les autres, pour mieux les exclure ou les tenir à distance ; c'est s'accorder une importance exagérée, stérile et inutile. Travailler sur soi, au contraire, c'est faire l'effort de mieux se connaître pour enfin devenir plus ouvert, plus disponible aux autres. C'est acquérir une liberté intérieure dans laquelle pourront enfin se dissoudre nos peurs, nos angoisses, nos limites, les carcans dans lesquels nous nous sentons parfois tellement à l'étroit. Dans son célèbre recueil *Lettres à un jeune poète*[16], l'écrivain allemand

---

[16] Éditions Flammarion Poche, Paris, 2011.

Rainer Maria Rilke conseille à son jeune interlocuteur :
« Entrez en vous-même, sondez les profondeurs où
votre vie prend sa source. Vous ne pourriez troubler
plus visiblement votre évolution qu'en dirigeant votre
regard au-dehors, qu'en attendant du dehors des
réponses que seul votre sentiment le plus intime,
à l'heure la plus silencieuse, saura peut-être vous
donner. »

Notre petit « je » est fait d'un assemblage de particules
dont l'agencement se modifie sans cesse, comme les
dessins d'un kaléidoscope. Nous sommes tous des
êtres multiples. Nous avons l'impression de nous
connaître, mais nous ne percevons qu'une facette
de cette construction complexe. Dans les moments
de crise, nous avons la chance de pouvoir examiner
d'autres dessins, d'autres figures, d'autres « agen-
cements de nous-mêmes ». En temps normal, nous

avons parfois tendance à nous oublier, à nous prendre pour un autre : nous confondons notre être vrai avec notre rôle social, notre image professionnelle, notre position familiale... Le médecin qui reçoit ses malades, la mère qui gronde ses enfants, le patron qui dirige son entreprise, la plupart ont tendance à se limiter à cet aspect-là d'eux-mêmes. Ils entrent dans une relation fusionnelle avec cette fonction, et en oublient qu'ils sont aussi un homme qui rit, doute ou souffre, une femme qui aime, déteste ou rejette. À force de s'enfermer eux-mêmes dans cette image réductrice, ils replient leurs ailes et ne savent plus qu'ils peuvent voler. C'est ainsi que l'on se retrouve un jour en pleine crise, sans l'avoir vue venir, simplement parce qu'on ne sait plus qui l'on est, ni ce que l'on désire vraiment...

Dans la tradition chinoise, les personnes qui traversent des crises consultent un très ancien recueil de textes intitulé *Yi-king*. Le terme signifie, selon les traductions, « Livre des transformations » ou « Traité des mutations ». Il réunit un ensemble de petites phrases sibyllines censées répondre à nos interrogations sur la vie et nous éclairer sur les décisions que nous avons du mal à prendre. Ce texte est l'un des plus anciens traités chinois. Il daterait de plus de mille ans avant Jésus-Christ. Preuve que les questionnements sur l'évolution de soi et les difficultés à gérer les transformations remontent à loin ! Dans le *Yi-king*, on peut lire : « Comme toute transformation, celle-ci vient en son temps. » Entendez par là qu'il ne sert à rien de perdre du temps à se lamenter sur les raisons pour lesquelles votre crise émerge à ce moment précis. Pour la pensée chinoise antique, elle surgit forcément à point nommé pour vous aider à gagner en autonomie et en liberté.

Le célèbre poète allemand Goethe écrivait : « Celui-là seul mérite la liberté et la vie qui doit chaque jour la conquérir. » Mais la liberté, cela fait peur. L'idée de devoir faire des choix plonge certaines personnes dans une sorte de paralysie émotionnelle. Dans les moments de crise, la pression augmente. Les choix deviennent urgents et il faut agir, si l'on veut sortir de l'impasse, et prendre des décisions qui nous aideront à nous adapter et à changer. En répondant à ces impulsions pressantes, nous renforçons notre espace intérieur de liberté et faisons refluer la peur.

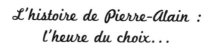

L'histoire de Pierre-Alain : l'heure du choix...

Aussi loin que remontent ses souvenirs, Pierre-Alain s'est toujours senti mal à l'aise à l'idée de devoir choisir. Une pomme ou une banane pour son goûter ? Cette simple question déjà le plongeait dans des affres. S'il choisissait la pomme, il renonçait à la banane. Celle-ci se transformait soudain en un goûter succulent qui le faisait renoncer à la pomme. Il choisissait la banane. Mais, très vite, l'idée de la pomme le faisait saliver... Adolescent, il avait toujours autant de mal à choisir entre une séance de ciné avec des copains ou un rendez-vous avec une copine. Il hésitait, tergiversait et finissait souvent par rester chez lui. Lorsqu'il dut choisir une voie pour ses études, la pression devint intolérable. Il se souvient d'avoir passé des mois dans un état d'angoisse indescriptible. Pour finir, il a laissé ses parents choisir à sa place, maquillant son incapacité à choisir avec un « Conseillez-moi, je vous fais confiance ».

Au fil des ans, il a fini par s'habituer à ce comportement. Il parvenait à le masquer aux yeux des autres, et parfois même aux siens propres. Il a fallu une grande crise de vie pour qu'il réalise à quel point il se mentait à lui-même et aux autres. Pierre-Alain est fils unique. Lorsque sa mère est morte brutalement d'un infarctus à 47 ans, son père était dévasté, incapable de réagir. C'est donc Pierre-Alain qui a dû organiser seul les obsèques. Il lui a fallu choisir une cérémonie, des musiques, des textes à lire à l'église, la couleur des fleurs, le modèle du cercueil... Et ces décisions simples, qui d'ordinaire s'effacent devant le chagrin, ont pris le dessus chez Pierre-Alain. Pendant quelques jours, il s'est senti étranger au deuil. Sa seule préoccupation, c'était de choisir. Lorsque tout a été terminé, il a réalisé qu'il n'avait pas pensé à sa mère pendant plusieurs jours. Il en a éprouvé une profonde culpabilité, au point de ressentir comme un électrochoc. Il a pris conscience brutalement de l'ampleur de sa difficulté et, surtout, du handicap qu'elle représentait dans sa vie. Il a décidé de se soigner. Mais il a refusé de consulter un psy. Il a voulu faire le chemin tout seul : il s'est imposé chaque jour des choix d'abord bénins, puis de plus en plus importants. Pour calmer le stress que cela lui procurait, il a pratiqué la respiration consciente, puis la méditation. Il a réussi à identifier de mieux en mieux ses vrais désirs. Deux ans plus tard, il a osé changer de métier : il a quitté le confort de son service bancaire pour entamer des études d'infirmier. Il a sauté le pas...

Tous ces bénéfices, les crises peuvent vous les apporter si vous ne fuyez pas devant les difficultés. À la clé de vos efforts : plus d'autonomie et de liberté, une meilleure connaissance de vous-même, un décryptage plus clair de ce qui vous a influencé depuis votre naissance (et même avant)... Mais pour y arriver, il vous faut maintenant apprendre à affronter les crises étape par étape.

Chapitre 3

Comment en sortir
et... rebondir !

Pour tirer profit de vos crises de vie, vous allez devoir vous livrer à un travail intime que personne ne peut faire à votre place. Il va vous falloir trouver en vous des ressources nouvelles, identifier vos désirs, mettre le doigt sur vos empêchements... C'est un chemin que vous êtes la seule personne à pouvoir emprunter. S'il s'avère trop difficile, vous pourrez vous faire accompagner par un thérapeute qui vous aidera à faire le tri dans vos sensations, vos impressions, vos émotions. Comme l'écrit Khalil Gibran[17] : « En silence, vos cœurs connaissent les secrets des jours et des nuits. Mais vos oreilles ont soif d'entendre la résonance du savoir de

---

[17] *Op. cit.*

votre cœur. Vous aimeriez entendre, en paroles, ce que vous avez toujours connu en pensées. »

Cependant, certains préfèrent voyager en solitaire et plonger au cœur des crises avec pour seuls bagages leur déstabilisation et leur envie d'en sortir. Ils pourront avoir recours à des outils qui les aideront à accepter la situation, pour ne pas gaspiller leur énergie dans un bras de fer stérile avec les événements, à mieux gérer leur stress et leur angoisse, à mieux utiliser leurs perceptions sensorielles lorsqu'ils ont besoin de revenir à la réalité de l'instant présent... Ces mêmes outils peuvent également profiter à ceux qui voyagent accompagnés, car la thérapie ne permet pas de faire l'économie du travail sur soi. Elle l'accompagne et le facilite, mais ne le remplace pas.

Ce travail va vous conduire d'abord à prendre conscience de vos difficultés, mais aussi des bienfaits que vous pourrez tirer de la crise que vous traversez. Et il y en a toujours ! Ainsi, pour les optimiser au mieux, vous devrez apprendre à repérer vos crises dès les premières turbulences et à réagir sans attendre qu'elles atteignent leur paroxysme. Il ne sert à rien de laisser pourrir les situations. Plus tôt vous agirez, plus vous aurez de chances de franchir le cap sans trop de souffrance. En outre, cela vous permettra de vous orienter vers la direction qui vous convient le mieux, sans être aveuglé par une peur vaine du changement.

N'attendez pas de miracle : pour évoluer, il faut de la constance et de la persévérance. « En psychologie, une fois ne suffit jamais ! » comme l'écrit le Dr Christophe

André[18], psychiatre et psychothérapeute. Personne n'a jamais changé sans efforts ni turbulences par un coup de baguette magique. En revanche, il existe de nombreux outils « coups de pouce » utiles qui vous aideront à avancer sur ce chemin lorsque vous vous sentirez en panne. En voici les principaux.

---

[18] Dans la préface à l'ouvrage de Tal Ben-Shahar intitulé *L'Apprentissage du bonheur*, Éditions Belfond, Paris, 2008.

Première étape :
accepter et lâcher prise

Dans une de ses chansons[19], Jean-Jacques Goldman a écrit : « Quand on ouvre nos mains / Suffit de rien, dix fois rien / Suffit d'une ou deux secondes / À peine un geste, un autre monde... » Belle métaphore pour signifier qu'il ne sert à rien de vouloir fermer les poings pour retenir ce qui s'éloigne de nous. Au contraire : en ouvrant nos mains, nous pouvons à la fois partager ce que nous possédons et nous saisir de ce que la vie nous propose. C'est là toute l'essence de l'acceptation et du lâcher-prise.

---

[19] « Nos mains », dans l'album CD *En passant*, Éd. JRG, 1997.

Que la crise soit provoquée par un changement dans notre environnement ou par une mutation intérieure, la problématique est la même : il faut lâcher ce à quoi on s'est raccroché jusque-là, afin de pouvoir avancer. Cela implique d'accepter, le plus rapidement possible, à la fois la perte et le changement. Sans acceptation, pas d'évolution possible. Sans lâcher-prise, pas de nouvelle voie empruntable.

Rappelez-vous, toute crise et toute transformation impliquent une perte. Or, dans les premiers temps de la crise, on a souvent tendance à se concentrer sur les bons souvenirs : le conjoint qui nous a quittés n'avait que des qualités, le travail dont on a été licencié n'avait que des avantages... Ces bons souvenirs ont généralement une base réelle. Mais la sensation de perte et la peur du changement nous incitent à focaliser tout notre désir sur la nostalgie de ce qui a été, en parant ce passé de toutes les vertus. Pourtant, même si nous les occultons sur l'instant, de mauvais souvenirs sont toujours associés aux bons, et il ne faut pas les oublier. Au prix d'un effort de mémoire, nous devons absolument rétablir l'équilibre afin de porter sur la situation passée un regard plus équitable. Il sera ainsi plus facile de lâcher ce passé et de regarder vers l'avenir.

L'inverse est tout aussi vrai : certains ont parfois tendance à se focaliser sur les mauvais souvenirs (le conjoint auprès duquel on n'était pas heureux, l'ami qui voulait toujours avoir raison, le milieu professionnel dans lequel on ne s'est jamais senti intégré...). Ils nourrissent ainsi à la fois leur rancune contre ces empêcheurs, obstacles à leur bonheur, et leur culpabilité de s'être si longtemps contentés de cette situation. Cette vision est tout aussi déformée que la précédente et devra, elle aussi, être rééquilibrée pour être plus proche de la réalité.

Quel rapport avec l'acceptation et le lâcher-prise ? Plus une situation est fantasmée, en positif comme en négatif, plus on reste accroché à ce qu'elle représente. À l'inverse, on peut plus facilement s'en détacher si on la regarde comme ce qu'elle est : une réalité avec des bons et des mauvais côtés, qui sera suivie par d'autres réalités tout aussi riches et complexes.

 Le concept du « lâcher-prise », très courant dans les philosophies orientales, est difficile à cerner pour nos esprits occidentaux. Certains l'entendent comme « s'asseoir et attendre que les choses se résolvent d'elles-mêmes » ou comme « devenir complètement passif par rapport à sa vie ». Cette interprétation est erronée. Lâcher prise, c'est renoncer aux attachements stériles pour agir avec plus d'efficacité ; c'est détacher son regard d'un passé révolu pour le tourner vers un avenir prometteur, tout en plantant fermement ses deux pieds dans le présent. Dans leur livre simplement intitulé *Lâcher prise*[20], Rosette Poletti et Barbara Dobbs expliquent : « Lâcher prise, savoir abandonner ce qui n'a plus lieu d'être pour aller vers ce qui vient, voilà l'un des aspects essentiels de la vie. » C'est, en effet, un aspect particulièrement important dans les moments de crise, lorsque nos projecteurs intérieurs sont braqués sur nos difficultés.

L'une de mes amies psychothérapeute a l'habitude de parler ainsi à ses patients lorsqu'ils traversent une crise : « Lorsque la vie vous donne une gifle si violente qu'elle vous fait tourner la tête, profitez-en pour regarder dans cette nouvelle direction. Elle recèle

---

[20] Réédité en 2000, par les Éditions Jouvence, Saint-Julien-en-Genevoix.

sans doute des trésors auxquels vous n'aviez même pas pensé. » Le moine bouddhiste Sogyal Rimpoché[21] l'exprime aussi en ces termes : « Alors même que l'on nous a conduits à croire que si nous lâchons prise, nous nous retrouverons les mains vides, la vie elle-même révèle sans cesse le contraire : le lâcher-prise est le chemin de la vraie liberté. »

---

[21] Auteur notamment du *Livre tibétain de la vie et de la mort*, Éditions de la Table Ronde, Paris, 2003.

Quelques exercices pour vous entraîner à accepter et à lâcher prise

Pour lâcher vos pensées parasites : le bouddhisme zen enseigne une forme de méditation qui consiste à fermer les yeux, à se concentrer sur sa respiration et à laisser passer ses pensées comme des nuages dans le ciel. Cette pratique demande de l'assiduité et de la patience. Pour vous permettre d'accélérer un peu le processus, je vous propose cette variante :

∞ Asseyez-vous sur le rebord d'une chaise, sans poser votre dos contre le dossier. Tenez-vous bien droit et étirez votre colonne vertébrale comme si vous vouliez repousser le plafond avec le sommet de votre tête. Posez vos mains sur vos cuisses.

⊚∾ Fermez les yeux, respirez calmement et profondément. Focalisez votre attention sur votre souffle. Lorsqu'une pensée envahit votre espace mental, imaginez-la écrite sur une feuille de papier. Puis, mentalement, froissez la feuille, roulez-la en boule et jetez-la derrière vous.

⊚∾ Procédez de cette manière à chaque fois qu'une idée vous vient à l'esprit. Peu à peu, vos pensées se calmeront et le lâcher-prise s'installera.

Pour lâcher vos habitudes quotidiennes : nos petites routines quotidiennes nous enferment dans un état de ronronnement qui nous rassure mais bloque notre capacité de lâcher prise. Nous finissons par nous y attacher et l'idée d'en changer nous fait peur. Pour éviter cet écueil, forcez-vous à intégrer de la nouveauté dans les plus petits actes du quotidien.

∞ Lorsque vous rentrez chez vous après une journée de travail, changez de chemin. Essayez un autre itinéraire. Il est plus long ? Tant pis, les quelques minutes que cela vous coûtera en valent la peine.

∞ Allez régulièrement faire vos courses dans des magasins différents. Non seulement vous romprez votre routine, mais vous modifierez aussi vos impulsions d'achat. Dans un supermarché que l'on connaît bien, on a tendance à se rendre

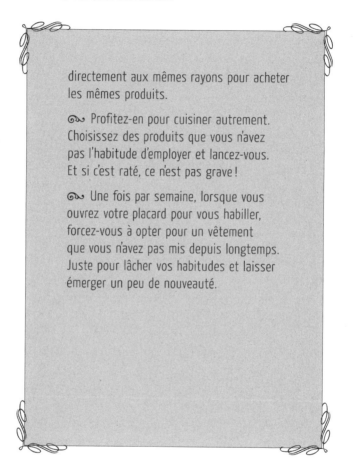

directement aux mêmes rayons pour acheter les mêmes produits.

∽ Profitez-en pour cuisiner autrement. Choisissez des produits que vous n'avez pas l'habitude d'employer et lancez-vous. Et si c'est raté, ce n'est pas grave !

∽ Une fois par semaine, lorsque vous ouvrez votre placard pour vous habiller, forcez-vous à opter pour un vêtement que vous n'avez pas mis depuis longtemps. Juste pour lâcher vos habitudes et laisser émerger un peu de nouveauté.

Deuxième étape :
se débarrasser de l'angoisse

Par définition, les crises nous plongent dans un état de nervosité particulier, plus ou moins intense selon les individus. Les grands tranquilles comme les anxieux chroniques voient leur niveau de stress augmenter. Nous possédons tous un niveau de résistance au stress qui nous est propre et qui dépend de notre personnalité et de la manière dont s'est construit notre psychisme. Quel qu'il soit, il faut le prendre en compte dans les moments de crise.

Certains anxieux cultivent une peur latente de la crise à venir, même lorsque tout va bien. Parfois, il leur arrive aussi de se sentir coupables de vivre dans l'équilibre et l'harmonie. Ceux qui sont d'une nature plus calme et paisible attendent que la crise soit effective avant de « se prendre la tête ». Les uns comme les autres ont tout à gagner à mieux gérer leur stress, que celui-ci soit permanent ou ponctuel. Le stress et l'angoisse qu'il provoque agissent comme une loupe grossissant nos difficultés. Ils amplifient la peur, la honte, la culpabilité, la douleur... Une bonne gestion du stress constitue donc un pas essentiel vers la sortie de crise.

Rappelez-vous : tout change en permanence, en nous et autour de nous, même si nous n'en avons pas conscience. Il ne sert à rien de vouloir se protéger contre cette réalité incontournable. Mais les mieux armés contre le stress pourront gérer ces transformations incessantes avec plus de facilité. Dans certains cas, ils seront même capables d'anticiper la crise en échappant ainsi à l'aveuglement qui nous pousse à refuser de voir ce qui se trame, dans une tentative désespérée de retarder l'inéluctable.

Une meilleure gestion du stress et de l'angoisse a un impact positif sur le moment (on conserve une vision plus juste de la situation) et aussi à long terme. Car notre aptitude à résister à la pression se « muscle » avec le temps, tout comme notre aptitude à accepter ce qui se présente à nous. À terme, on est ainsi en mesure d'accepter d'ores et déjà les crises à venir comme des événements naturels qui jalonnent nos existences. Même lorsqu'on traverse des périodes douloureuses, même lorsqu'on se sent comme dans le tambour d'une machine à laver sur le mode essorage, on peut conserver une forme de confiance en soi qui neutralise la peur de l'avenir.

Quelques exercices pour faire baisser la pression

Pour faire tomber votre niveau d'angoisse. C'est un sentiment qui se nourrit de lui-même. Plus vous pensez à votre angoisse, plus vous la ressassez, et plus elle se développe. Elle enfle ainsi peu à peu jusqu'à occuper tout votre espace mental. Il vaut mieux lui barrer la route le plus vite possible.

☙ De nombreuses pratiques orientales de méditation utilisent les mantras. Le fait de prononcer la même phrase pendant de longues minutes sans s'arrêter aide à vider le mental et à évacuer la tension nerveuse. L'angoisse et la peur refluent. Pour rester plus près de notre culture occidentale, essayez de remplacer les mantras par des phrases positives. Et pourquoi ne pas remettre au goût du jour la fameuse méthode Coué ?

༈ Allongez-vous, ou asseyez-vous confortablement dans un fauteuil. Fermez les yeux et respirez profondément et calmement en vous concentrant sur votre souffle.

༈ Puis répétez mentalement une phrase que vous aurez préparée avant de commencer la séance. Vous pouvez utiliser la phrase de base de la méthode Coué : « Chaque jour, sur tous les plans, je vais de mieux en mieux. » Vous pouvez aussi l'adapter à votre situation. Par exemple, si vous traversez une période de crise particulièrement angoissante, vous pouvez répéter : « Chaque jour, j'avance dans la résolution de ma crise et mon angoisse diminue. »

༈ Quelques règles pour préparer votre phrase : elle doit être formulée au présent, à la première personne, et ne pas contenir de termes négatifs. Ne dites pas : « Je n'ai pas peur », mais plutôt : « Je me défais de ma peur. » Ne dites pas : « Bientôt je serai sorti de ma crise », mais plutôt : « Je sors de ma crise un peu plus chaque jour. »

Pour faire baisser rapidement votre niveau de stress. Il y a des situations qui font grimper rapidement la nervosité. On est contraint de gérer celle-ci dans l'instant même et l'on n'a pas toujours le loisir d'aller s'isoler dans un coin pour se calmer. La respiration est alors un excellent moyen de faire tomber la pression sans que les autres s'en aperçoivent. Même pendant une discussion animée ou une réunion de travail, quelques inspirations et expirations profondes vous aideront à faire baisser votre niveau de stress :

☙ Dans la position où vous vous trouvez (assis ou debout), redressez votre buste et essayez de vous tenir droit.

☙ Sans fermer les yeux, inspirez profondément par le nez et expirez tout en comptant, de manière à ce que votre expir soit deux fois plus long que votre inspir. Cela suffira à ralentir votre souffle. Vos battements cardiaques se calmeront et votre mental s'apaisera.

☙ Si vous sentez la colère monter en vous, prenez le temps de deux ou trois respirations avant de vous exprimer. Cela vous permettra de ne pas céder à l'impulsion et de rester un peu plus zen.

Pour calmer votre mental lorsqu'il s'emballe. Quand le mental s'affole sous l'effet de l'angoisse, il faut revenir à l'instant présent. Pour cela, le meilleur outil est le corps. En revenant à vos sensations corporelles, vous vous détacherez du sentiment d'angoisse et permettrez à votre flot de pensées de ralentir son rythme.

⤫ Fermez les yeux, respirez profondément, et ancrez votre esprit sur un point précis de votre corps.

⤫ Si vous êtes assis, vous pouvez vous concentrer sur les zones d'appui de votre corps sur la chaise. Si vous êtes debout, vous pouvez vous focaliser sur le contact de vos pieds avec le sol. Vous pouvez aussi poser la main sur une surface (votre bureau, les accoudoirs d'un fauteuil, une rampe d'escalier...) et essayer de concentrer votre attention sur les sensations qui émanent de votre main.

❧ Ensuite, efforcez-vous de ressentir avec un maximum de précision ce que votre point d'ancrage corporel vous renvoie : agréable ou désagréable, doux ou dur, chaud ou froid, humide ou sec... Explorez la sensation elle-même. Vous serez ainsi bien ancré dans l'instant présent et vos pensées parasites se calmeront rapidement.

Troisième étape :
mieux gérer ses émotions

Les situations de crise provoquent un séisme intérieur, une fracture qui laisse émerger des émotions intenses et parfois contradictoires. Fragilisés par la situation, nous avons du mal à endiguer ces vagues déstabilisantes. Ces émotions, nous les partageons tous, au point que les psychologues en reconnaissent six, fondamentales et universelles : la joie, la tristesse, la peur, la honte, la colère et le dégoût. Certains ajoutent à cette liste la jalousie, très fréquente dans les crises relationnelles, qu'elles soient familiales ou professionnelles, amicales ou amoureuses.

Première idée fausse : il est impossible de séparer émotions positives et émotions négatives. Nous croyons souvent qu'il faudrait privilégier les « bonnes », comme la joie, et éradiquer les « mauvaises », comme la colère. C'est une erreur. Elles sont indissociables et complémentaires. Positives ou négatives, les émotions sont construites sur un socle commun. Imaginez une personne qui vient de gagner une grosse somme au Loto®. Elle est envahie par une joie subite tout aussi déstabilisante que la peur ressentie par la maman qui voit son petit enfant traverser la rue en courant alors qu'une voiture arrive à grande vitesse, ou que la colère éprouvée par celui que sa femme vient de quitter pour aller vivre avec son meilleur ami. Chacune de ces émotions a une utilité.

« Les émotions négatives (que je préfère appeler "désagréables") sont indispensables pour notre survie car elles nous permettent de répondre d'une manière rapide et ciblée à toutes sortes de dangers, explique

Thierry Janssen[22], médecin et psychothérapeute. Il n'y a donc pas de raison de nier ou supprimer ces émotions. En revanche, il paraît souhaitable de ne pas y être soumis trop longtemps. » De leur côté, les émotions positives – et agréables – permettent d'écourter les phases de stress et de rétablir l'équilibre rompu. Thierry Janssen poursuit : « Elles favorisent l'émergence d'idées positives propices à l'imagination de solutions constructives. » Or, dans les périodes de crise, nous avons besoin de trouver des solutions qui nous permettront de sortir rapidement de l'impasse et de rebondir.

Pour apprendre à gérer ses émotions en période de crise, il faut avant tout les accepter telles qu'elles se présentent, les mauvaises comme les bonnes. Si l'on essaie de les retenir, voire de les nier, elles risquent

---

[22] Dans une interview au magazine *Inexploré* n° 12, octobre/novembre/décembre 2011. Thierry Janssen est l'auteur de *La Solution intérieure ; Vers une nouvelle médecine du corps et de l'esprit* (Éd. Fayard, 2006) et de *Le Défi positif* (Éd. Les Liens qui Libèrent, 2011).

de rompre les barrières que l'on construit pour tenter de les contenir, à la manière d'un flot qui se heurte contre une digue. Toutefois, accueillir les émotions désagréables n'implique pas de se laisser submerger par elles. Toute la difficulté réside dans cet équilibre subtil et délicat. C'est là qu'interviennent les émotions positives et agréables : en les cultivant, comme un jardinier soigne ses fleurs, on se donne les moyens de réinjecter de la joie et de la créativité dans la crise que l'on traverse, et l'on diminue l'ampleur et la durée des émotions désagréables.

Chacun entretient avec ses émotions une relation particulière, qui s'est construite dès la très petite enfance. Imaginez un tout-petit qui fait ses premiers pas et qui tombe. S'il ne se fait pas vraiment mal, il ne pleure pas forcément. Il est seulement surpris. Mais s'il lit de la frayeur dans les yeux de sa mère, il prend l'émotion à son compte, la reproduit et l'intègre. Il finit par avoir peur lui-même chaque fois qu'il tombe, et par pleurer, même quand il n'a pas mal. De la même manière, un enfant élevé dans une famille où personne n'exprime ses émotions apprend à ne manifester ni sa joie ni sa peur. Devenu adulte, il continuera sur ce chemin.

Nous ne pouvons donc pas faire aveuglément confiance à nos émotions, surtout dans les périodes de crise. Pour qu'elles deviennent nos alliées, nous devons les apprivoiser. « Sans émotions, nous serions des machines et notre existence serait grise, explique le psychiatre et éthologue Boris Cyrulnik. Cela ne signifie pas que nous soyons totalement prisonniers de nos émotions. Plus nous pactisons avec nos fantômes enfouis, plus nous faisons la paix avec notre passé, plus nous pouvons tirer profit de nos émotions au lieu de les subir. »

Quelques exercices pour faire tomber la tension émotionnelle

Pour dissoudre les émotions excessives. Sur l'instant, lorsqu'on se sent submergé par une vague émotionnelle, l'urgence est de faire baisser la pression. Pour y parvenir, concentrez-vous sur ce que vous ressentez dans votre corps, et non sur ce que vous ressassez dans votre tête.

  Asseyez-vous confortablement dans un fauteuil et fermez les yeux.

  Respirez profondément en essayant de concentrer votre attention sur l'expiration, de manière à vider tout l'air que contiennent vos poumons.

  Puis focalisez votre attention sur vos sensations physiques : la boule que vous ressentez dans le creux de votre estomac, la tension dans vos membres, la chaleur sur votre visage...

☙ Amenez ensuite votre attention sur la plus intense de ces sensations et essayez de la neutraliser en pensée : dénouez la boule de tension comme si vous dévidiez une pelote ; étirez les muscles de vos membres ; faites souffler un vent frais sur votre visage...

☙ En agissant ainsi, vous atténuerez les sensations physiques et leurs manifestations disproportionnées. Il ne restera plus que l'émotion elle-même, qui sera alors plus facile à aborder sereinement.

Pour apprendre à cultiver les émotions positives. Même (et surtout !) dans les périodes de crise, il faut nourrir cette petite flamme qui continue à brûler en vous.

☙ La tristesse vous donne l'envie de vous rouler en boule sur votre canapé ? Faites l'effort de regarder un film drôle. Vous ne rirez pas tout de suite, bien sûr, mais si vous vous concentrez sur l'histoire, vous serez surpris de constater que de temps en temps, un rire vous échappe. Continuez...

⌘ Vous êtes envahi par la colère ? Entamez une activité simple qui demande une dépense physique : jardinez, désherbez, entreprenez un grand rangement... Dans l'immédiat, vous évacuerez cette énergie destructrice. Lorsque vous aurez terminé, vous pourrez savourer le plaisir d'avoir accompli cette tâche ingrate.

⌘ La peur vous paralyse ? Imaginez un scénario, même farfelu, qui vous permettrait de ne plus avoir peur de la situation dans laquelle vous vous trouvez. Puis décortiquez-le, étape par étape, jusqu'à ce qu'il vous semble réalisable. Le but n'est pas de mettre en œuvre ce scénario, mais de dégonfler la baudruche de la peur.

Pour exprimer ce que vous ressentez sans alimenter le conflit. Plus les émotions sont intenses, moins nous parvenons à les exprimer sans y insuffler de la démesure. Pour désamorcer le conflit sous-jacent à une crise, il vaut mieux essayer de verbaliser ce que l'on ressent, au fur et à mesure, en vidant son discours de tout affect. Ce n'est pas facile, mais chaque pas effectué sur cette voie est bénéfique.

෨ Adoptez la stratégie du disque rayé : vous avez quelque chose à dire que vous gardez sur le cœur et vous ne voulez pas hausser le ton ? Préparez quelques phrases courtes et restez concentré sur elles. Répétez-les inlassablement, sans tenir compte des interruptions et des arguments que votre interlocuteur vous oppose. Il finira par entendre, et vous n'aurez fait preuve d'aucune agressivité.

❧ Débutez votre discours par des arguments positifs : « Tu m'as apporté beaucoup, mais... », ou « J'ai beaucoup appris en travaillant avec toi, mais... ». Votre interlocuteur sera alors plus enclin à entendre les arguments que vous lui adresserez par la suite.

❧ Évitez les reproches et adressez-vous à votre interlocuteur à la 1re personne. Dites « je », en mettant l'accent sur votre ressenti. Au lieu de dire : « Tu es injuste avec moi », affirmez plutôt : « Je ressens un sentiment d'injustice. » Ainsi, il ne se sentira pas directement accusé et vos arguments deviendront recevables.

Quatrième étape :
réveiller ses sens

Dans *Star Wars*, les maîtres Jedi conseillent fréquemment à leurs disciples de « sentir » et non pas de réfléchir. La « force » – comprenez par là l'énergie qui nous anime et nous entoure – ne s'aborde pas par le biais de l'intellect. Elle se ressent. Dans les moments où nous perdons pied, nos sensations corporelles peuvent aussi devenir notre refuge ultime. Elles peuvent même nous ouvrir la porte à une meilleure perception de notre environnement

Revenir au corps, cela permet d'éviter toutes sortes d'éparpillements liés à la peur, la culpabilité, la souffrance, les regrets, la rancune... Les sensations corporelles permettent un ancrage à la fois dans l'instant présent et dans notre réalité personnelle. Nous ne ressentons ni au passé, ni au futur. Les sensations corporelles ne se conjuguent pas. Elles n'existent qu'au présent, dans l'instant où elles se manifestent. Mais la plupart du temps, nous ne prenons pas le temps de ressentir. Nous pensons, nous réfléchissons, nous tergiversons, nous ressassons, nous dressons des plans sur une quelconque comète... Ainsi, dans les moments de crise, nous nous réfugions volontiers dans un passé révolu (c'était mieux avant) ou nous nous propulsons dans un futur que, bien évidemment, nous n'avons pas encore construit.

Pour rendre leur place aux sensations, nous n'allons pas pour autant arrêter de penser. Ce serait absurde. Mais nous pouvons rééquilibrer ces deux pôles essentiels de notre existence en donnant un peu plus de place à la sensorialité. Nos sens sont des outils exceptionnels. Ce sont eux qui constituent notre lien avec le monde extérieur : nous voyons, nous entendons, nous sentons (au sens de l'olfaction), nous goûtons, nous ressentons (au sens de la perception tactile). Sans nos sens, le monde n'existerait pas ou n'aurait aucune existence tout du moins pour nous, ce qui revient au même. Toutes nos pensées prennent naissance dans les informations que nos sens nous transmettent. C'est parce que nous avons vu, entendu, touché l'autre que nous sommes entrés en relation avec lui. Et c'est de cette rencontre qu'est né notre sentiment amoureux. Il en est de même dans tous les secteurs de notre vie.

Nos sens n'ont pas seulement pour objet de nous être agréables. Que les perceptions soient plaisantes ou pénibles, satisfaisantes ou douloureuses, elles existent et peuvent servir d'enracinement à notre gestion de la crise. Lorsque les événements nous font souffrir, la sensorialité constitue même le premier outil dont nous disposons, le plus immédiat. Lorsqu'on est envahi par la souffrance, le regret et la rancune, on traverse une phase pendant laquelle on n'a pas beaucoup de prise sur soi. Il faut laisser passer l'orage. Quand la souffrance refluera, alors seulement on pourra commencer enfin à regarder la situation en face. Une focalisation sur les sensations corporelles permettra de faire passer plus vite cette phase et de s'attaquer plus rapidement au problème. Par cet ancrage, nous pouvons éviter de faire durer la souffrance, en n'y pensant plus, en ne la ressassant pas et en ne nous enfermant pas dans le regret du passé. Pendant ce laps de temps, un processus de réparation peut déjà se mettre en place puisque la souffrance n'occupe plus tout l'espace, mental et émotionnel.

Pour développer sa sensorialité, il vaut mieux entretenir avec son corps une relation sereine. Or ce n'est pas toujours le cas, loin de là. Notre société de l'image et du paraître nous pousse à l'insatisfaction. Nous aimerions montrer aux autres un corps parfait à la fois sur les plans esthétique et fonctionnel. Pour passer de ce corps fantasmé à notre corps réel, nous pouvons encore une fois utiliser nos sensations. N'oublions pas que nous sommes venus au monde dans ce corps et que nous ne le quitterons qu'à l'instant où nous pousserons notre dernier soupir. Dans l'entre-deux de ces extrêmes, il est comme un habit que l'on ne peut enlever, un vêtement extrêmement complexe et performant, toujours disponible et efficace. Mais nous le traitons souvent comme un ennemi, alors qu'il s'agit du plus fidèle de nos alliés. Pensez-y lorsque vous travaillez sur vos sensations corporelles.

Quelques exercices pour apprivoiser vos sensations

Pour développer votre acuité sensorielle. Nos capacités sensorielles se développent lorsqu'on les entraîne. La vue n'a pas besoin d'un entraînement supplémentaire, car elle est déjà très sollicitée dans notre vie quotidienne. Elle est même surinvestie par rapport aux autres sens. Ce sont donc ceux-là qu'il va nous falloir stimuler, à commencer par le toucher, puis l'odorat et le goût.

🙠 Le principe de l'exercice est toujours le même : vous devrez vous bander les yeux, afin de court-circuiter votre vision, puis vous solliciterez un sens à la fois.

🙠 Pour le toucher, réunissez sur une table des matières de textures différentes : une pièce de velours, une feuille de papier de verre, des feuilles mortes, du talc dans une coupelle... Demandez ensuite à quelqu'un de ranger ces matières dans n'importe quel ordre puis explorez-les du bout des doigts. Exprimez ce que vous ressentez : la douceur, la rugosité, le craquant...

Pour entraîner votre odorat et votre goût, procédez de la même manière avec des aliments. Dans l'idéal, il vaut mieux que vous ne sachiez pas à l'avance ce que vous allez humer et goûter, afin de préserver l'effet de surprise. Puis, les yeux bandés, vous devez essayer de reconnaître les aliments et décrire la sensation qu'ils provoquent en vous. L'odorat et le goût s'explorent généralement ensemble car ils empruntent des voies étroitement liées. Cependant, vous pouvez aussi entraîner votre odorat isolément en sentant des éléments odorants et non comestibles.

Pour vous entraîner à accueillir les sensations. Rien de tel qu'un massage pour s'ouvrir aux perceptions sensorielles, à condition de vraiment se laisser aller entre les mains de la personne qui masse.

Que vous soyez massé par un proche à la maison ou par un professionnel en institut, il vous faut avant tout vous détendre et vous efforcer de ressentir. Que le toucher soit agréable ou plus tonique, vous devez laisser émerger les sensations comme elles viennent.

Focalisez votre attention sur le contact des mains sur votre peau. Essayez de suivre le parcours de celles-ci sur votre corps et de ressentir l'énergie qu'elles dégagent. Lorsque vous sentez votre mental reprendre le dessus, revenez au contact des mains sur votre corps.

Pour faire refluer vos sensations douloureuses. Lorsqu'on est envahi par une souffrance émotionnelle, le retour aux sensations corporelles aide à canaliser celle-ci. Cet exercice de visualisation permet d'identifier la souffrance, de la « sortir » de soi et de l'éloigner.

၆ၖ Allongez-vous sur le dos, sur un lit ou un canapé, et fermez les yeux. Respirez calmement et profondément, et efforcez-vous de ressentir dans votre corps l'effet de votre douleur émotionnelle. Sentez votre plexus bloqué, vos muscles crispés, votre estomac noué...

၆ၖ Puis projetez cette souffrance dans une forme que vous imaginez en face de vous : une boule, une sphère hérissée de piquants, un cube, un tube...

ം Donnez à cette forme une taille, une couleur, une texture, une densité, un poids... Il faut que l'image devienne réelle, qu'elle ait une vraie présence dans votre esprit.

ം N'oubliez pas que cette forme représente votre souffrance. Regardez-la, comme si la douleur était à présent en dehors de vous, comme si elle était devenue une entité à part entière. Puis regardez la forme s'éloigner et emporter avec elle votre souffrance, jusqu'à n'être plus qu'un point à l'horizon.

Cinquième étape :
agir, créer...

⁕

Le 18 septembre 2010, un nageur français, Philippe Croizon, traversait la Manche à la nage. Un exploit que d'autres avaient réalisé avant lui ? Certes, mais pas dans les mêmes conditions. Car Philippe Croizon a été amputé des quatre membres après avoir été électrocuté par une ligne à haute tension. Pendant plus de deux ans, il s'est consacré à temps plein à cette aventure, faisant fabriquer des prothèses sur mesure et s'entraînant avec ténacité. Actuellement, il se prépare pour une nouvelle traversée : un tour du monde à la nage reliant les cinq continents. « Quand on se focalise sur un projet, explique-t-il, tout le reste devient transparent[23]. » Agir, poser des actes, se donner des objectifs, cela permet de sortir de la nasse dans laquelle nous a plongés la crise et ce, pour regarder plus loin.

Lorsqu'on se retrouve dans une situation critique, découragé et déprimé, les autres disent souvent : « Ne reste pas comme ça, réagis ! » Dans « réagir », il y a *agir*. L'action constitue un excellent paravent contre l'angoisse et la souffrance. Elle permet de ne pas se refermer sur soi et de ne pas s'enliser dans une plainte stérile. En agissant, on restaure la confiance en soi si celle-ci a été mise à mal par la crise.

Il ne s'agit pas forcément de se lancer dans de grandes aventures ni de viser des exploits. De petits actes

---

[23] Lors d'une interview réalisée par Michel Denizot dans l'émission *Le grand journal* diffusée par la chaîne Canal+ le 14 octobre 2011.

banals, effectués jour après jour, aident à cultiver une forme de satisfaction. La très complexe théorie mathématique du chaos a donné naissance à une image qui s'est largement répandue : un battement d'aile d'un papillon au-dessus de l'océan Indien peut provoquer un ouragan près des côtes nord-américaines ; en d'autres termes : des actes modestes, accomplis à bon escient et en toute conscience, peuvent provoquer de grands effets pour peu qu'on leur en laisse le temps. On peut donc agir par petites étapes successives, tranquillement, en se donnant le temps de réaliser pleinement ces actes.

Pour agir, vous pouvez emprunter différentes voies. Vous pouvez vous ouvrir aux autres en développant votre générosité. Si vous avez du mal à vivre avec vous-même en ce moment, profitez-en pour partager des expériences. C'est le moment d'adhérer à une association et de vous impliquer dans une action collective. Mais attention : ne tombez pas dans l'oblation qui consiste à s'occuper des autres pour ne pas penser à soi. Ne vous jetez pas à corps perdu dans un tourbillon d'hyperactivité qui ne vous serait d'aucune utilité. Agissez pour vous-même, dans l'ouverture aux autres. Et surtout, prenez votre temps...

La crise que vous traversez constitue un déclic idéal pour développer votre créativité. Créer, c'est transformer la réalité, la transmuter, faire du neuf avec du vieux, générer de la joie à partir de la souffrance. Comme dans un processus alchimique, lorsque vous effectuez un geste créatif, vous transformez un acte banal en quelque chose d'unique et d'exceptionnel – ne serait-ce qu'à vos yeux.

Tout le monde ne peut pas s'improviser artiste, mais chacun de nous peut développer sa part de créativité. Le but ne réside pas dans le résultat de votre démarche, mais dans l'action elle-même. Ne renoncez pas à prendre des pinceaux sous prétexte que vous n'avez jamais su dessiner. N'abandonnez pas l'envie de plonger vos mains dans la glaise sous prétexte que la sculpture est un art compliqué. Quand bien même le résultat serait bon pour la poubelle, ce que vous avez mobilisé en vous pour y parvenir aura mérité l'effort fourni. Sans compter qu'en matière de créativité, les bonnes surprises sont plus fréquentes que les mauvaises. On est souvent agréablement impressionné par ce que l'on produit lorsqu'on laisse aller son imagination.

Pendant que vous vous concentrerez sur votre créativité, vous oublierez votre souffrance. Vous produirez un « courant d'air » salutaire pour votre mental et vos émotions. De plus, en stimulant votre imaginaire, vous mettrez le doigt sur de nouvelles perspectives et envisagerez des scénarios de sortie de crise auxquels vous n'auriez jamais pensé auparavant.

Vous pouvez exercer votre créativité dans de nombreuses activités quotidiennes : écrivez, couchez vos impressions et vos émotions sur le papier ; dessinez, peignez, sculptez pour exprimer d'une manière nouvelle ce que vous ressentez. Le jardinage et la cuisine peuvent également devenir créatifs, pour peu que vous laissiez parler votre imaginaire et que vous agissiez sans hâte, en vous concentrant sur vos gestes et en abandonnant toute optique d'utilité. Si, au bout de votre entreprise, le plat que vous avez préparé est délicieux, tant mieux. S'il est raté, ce ne sera pas très grave !

Quelques exercices pour apprendre à agir de manière créative

Pour développer votre créativité. Cette capacité se nourrit de spontanéité. L'important, c'est de laisser émerger dans l'instant l'impulsion que vous portez en vous. Le dessin et la peinture constituent d'excellents outils de travail à la portée de tous.

☙ Préparez des feuilles de papier à dessin et des feutres, ou des crayons de couleur. Vous pouvez aussi utiliser de la peinture et des pinceaux.

☙ Étalez votre matériel sur une table et asseyez-vous. Posez vos coudes sur la table et appuyez votre front contre vos mains. Fermez les yeux. Respirez profondément et calmement pendant quelques minutes.

∾ Puis imaginez une vague qui prend naissance dans votre ventre, sous votre nombril, et qui remonte vers votre poitrine.

∾ Lorsqu'elle arrive au niveau de votre plexus solaire, ouvrez les yeux et dessinez sans réfléchir ce qui vous vient à cet instant.

∾ La première impulsion doit être complètement instinctive. Ensuite, vous pourrez peaufiner votre dessin si vous en avez envie.

Pour entraîner votre imagination. Rien de tel que les mots pour stimuler l'imaginaire : jouer avec les mots, les idées, les histoires... Là encore, il ne s'agit pas de réfléchir ni d'essayer d'inventer une « belle histoire ». C'est dans le geste que réside l'intérêt de cet exercice, pas dans son résultat.

ᖽ Demandez à quelqu'un de vous donner un mot. N'importe lequel, pris au hasard. Si vous êtes seul, ouvrez un dictionnaire à n'importe quelle page et, sans regarder, posez votre doigt sur un mot.

ᖽ Puis, à partir de ce terme, inventez une histoire. Ne cherchez pas une histoire vraisemblable ou cohérente. Laissez aller votre impulsion...

ᖽ Si vous êtes seul, écrivez votre histoire au fur et à mesure que les idées émergent. Si vous êtes en compagnie, racontez-la à haute voix.

ᖽ Cet exercice peut même devenir un jeu de société au cours duquel chacun invente à son tour une histoire à partir d'un mot tiré au hasard.

Pour transformer les sentiments négatifs. La colère, la peur, la rancune... nous empoisonnent souvent pendant les périodes de crise. Pour dégonfler ces baudruches, utilisez votre créativité.

∽ Réfléchissez d'abord à ce que vous ressentez. Une fois que vous avez identifié vos sentiments négatifs, dessinez-les. Laissez-vous aller à suivre vos impulsions.

∽ Corrigez ensuite le dessin pour en éliminer les éléments sombres ou agressifs : mettez des couleurs claires là où il n'y a que du sombre ; mettez des formes arrondies là où il y a des angles et des pointes... Peu à peu, vous verrez votre dessin évoluer vers plus de clarté et de douceur. L'écho de votre création se répercutera sur votre état intérieur, qui gagnera lui aussi en clarté et en douceur.

Sixième étape :
alléger sa vie

La société occidentale favorise toute sorte d'accumulation : les objets, les vêtements, les bibelots, les meubles, mais aussi les souvenirs, les émotions, les relations... « Trop de tout » finit par engorger nos vies et nos esprits. Nous en oublions que certaines choses nous sont plus essentielles que d'autres, que ce soit sur le plan matériel, relationnel ou émotionnel. Or, ce sont celles-là dont nous avons besoin lorsque nous traversons des turbulences.

Dans les périodes de crise, nous avons besoin de nettoyer notre espace intérieur aussi bien que notre environnement. Tout ce qui nous encombre nous empêche de voir clairement la situation, ses origines, son contenu, et surtout ce que nous pouvons faire pour en sortir.

Après avoir enseigné le français en Angleterre et aux États-Unis, Dominique Loreau s'est installée au Japon. Vingt-trois ans plus tard, elle y vit toujours. Elle y a appris « l'art de la simplicité ». Dans un livre qui porte ce titre[24], elle écrit : « À fréquenter ce pays, j'ai découvert que la simplicité est une valeur positive et enrichissante. Elle permet de vivre libéré des préjugés, contraintes et pesanteurs qui nous dispersent et nous stressent. Elle offre la solution à beaucoup de nos problèmes. » La crise est un moment privilégié pour se débarrasser du superflu.

---

[24] *L'Art de la simplicité* a été publié en poche en 2005 par les Éditions Marabout, Paris.

Prenez votre maison, par exemple. Vous y conservez sans doute des objets, bibelots ou éléments de décoration dont vous ne faites pas usage et qui ne vous plaisent pas particulièrement. Seulement voilà : celui-ci vient de grand-maman ; celui-là est un souvenir de voyage ; cet autre nous a été offert par un ami... On a l'impression qu'en s'en séparant, on porte atteinte à la personne qui nous l'a offert ou transmis, ou que l'on ternit le souvenir du moment auquel il est attaché. Rien de tout cela n'est vrai. Objet ou pas, l'attachement que nous ressentons pour une personne restera le même, et aucun souvenir n'est enfermé dans un objet. La situation est similaire dans nos penderies : elles regorgent de vêtements démodés, d'autres trop grands parce qu'on a maigri, ou trop justes parce qu'on a pris quelques kilos. On les conserve en se disant : « Un jour, peut-être... » Il vaudrait mieux conserver quelques tenues qui nous vont bien, dans lesquelles on se sent à l'aise et qui sont suffisamment sobres pour résister au tourbillon des modes.

Sur un plan moins matériel, il nous arrive aussi d'avoir en nombre des sentiments inutiles (notamment lorsqu'ils sont négatifs), des habitudes néfastes ou des relations qui ont eu une raison d'être dans le passé mais qui n'en ont plus dans le présent. Dans les moments de crise, nous avons tendance à étiqueter les événements avec des termes qui sonnent comme des jugements définitifs : les situations sont « bonnes » ou « mauvaises ». Il n'y a pas de place pour la demi-mesure. Françoise Dolto conseillait d'utiliser plutôt des termes comme « joyeuses » ou « tristes », car ils laissent la porte ouverte à une évolution. Le mauvais peut difficilement devenir bon, alors que « triste » peut devenir « joyeux », si nous changeons le regard que nous portons sur la vie.

Nous pouvons nous débarrasser des entassements matériels et, de la même manière, du superflu émotionnel. C'est une tâche plus difficile pour certains que pour d'autres. Pour vous motiver, n'oubliez pas ce que rappelle Dominique Loreau : « Vivre avec moins, c'est vivre avec plus de fluidité, de liberté, de légèreté. Plus de raffinement aussi[25]. » En vous séparant de ce qui vous plaît le moins, vous choisirez les choses que vous aimez vraiment. Et ça, c'est une grande source de satisfaction.

---

[25] *Op. cit.*

Quelques exercices pour faire le vide

Pour vous débarrasser des mauvais souvenirs. L'écriture est un outil essentiel pour « réécrire sa vie ». En mettant en mots vos souvenirs les plus désagréables, vous pourrez transformer le regard que vous portez sur votre passé.

∽ Choisissez un souvenir particulièrement désagréable, qui retentit encore sur votre vie actuelle. De préférence, un souvenir lié à la crise que vous traversez.

∽ Décrivez ce souvenir par écrit. Ne vous censurez pas, couchez-en les détails sur le papier.

∽ Puis relisez votre texte et éliminez-en les termes les plus négatifs. Réécrivez votre texte. Recommencez jusqu'à ce que l'histoire soit débarrassée de toute trace pénible.

∞ Une fois votre texte complètement corrigé, recopiez-le au propre et rangez-le. Vous pourrez le relire de temps en temps, lorsque vous vous sentez envahi par le regret du passé ou la rancune vis-à-vis de personnes qui vous ont blessé.

Pour vous débarrasser des actes inutiles. Nous avons la fâcheuse habitude de faire plusieurs choses à la fois – tout du moins, dans les petits actes de la vie quotidienne. Du coup, nous ne sommes pas présents à ce que nous faisons et nous faisons à foison des gestes inutiles. Voici un exercice pour revenir à l'essentiel.

∞ Choisissez un acte banal, mais utile, de votre vie quotidienne : préparer le repas, jardiner...

๛ Astreignez-vous à l'exécuter sans faire autre chose en même temps et sans même penser à autre chose pendant que vous agissez. Vous allez, par exemple, préparer un gâteau sans répondre au téléphone, sans envoyer un mail pendant qu'il cuit, sans donner à manger au chat...

๛ Si vous sentez que vous vous dispersez, revenez à l'instant présent en respirant profondément et en vous concentrant quelques instants sur votre souffle.

Pour vous débarrasser des objets inutiles. Notre culture nous pousse à accumuler les objets, les vêtements, les bibelots... Au point que nous vivons parfois dans des lieux encombrés de mille choses dont nous n'avons pas besoin. Les crises sont l'occasion idéale pour revenir à l'essentiel.

⌒ Passez en revue les objets qui vous entourent et mettez de côté ceux dont vous vous servez vraiment ou ceux qui vous plaisent énormément. Les autres, vous pouvez vous en débarrasser. Ce faisant, essayez de ne pas céder à la culpabilité.

⌒ Éliminer ces objets n'implique pas de les jeter à la poubelle. Vous pouvez, par exemple, les donner à des associations caritatives qui se chargeront de les revendre. Les objets pourront ainsi continuer leur vie dans d'autres maisons, auprès de personnes qui les auront choisis et qui, peut-être, les aimeront. De votre côté, vous aurez le sentiment d'avoir fait quelque chose d'utile, ce qui est bon pour renforcer l'estime de soi.

Septième étape :
apprendre à pardonner

❦

Les crises de vie mettent très souvent en jeu une personne (ou plusieurs) dont l'attitude, le comportement ou les paroles nous ont blessés, parfois très cruellement. La première tentation est de céder à la rancune : nous en voulons à l'autre pour ce qu'il nous a fait, et c'est bien naturel – du moins pendant un temps. Hélas ! la rancune est un sentiment tenace qui perdure souvent bien au-delà du temps nécessaire à notre reconstruction.

Nous portons tous dans nos valises de vieilles rancunes, des rancœurs, des ressentiments, des inimitiés... Or en vouloir à quelqu'un, c'est rester attaché à une personne à travers un sentiment négatif. C'est entretenir un lien corrompu avec celui-là même qui nous a fait souffrir. Plus la blessure est ancienne, plus est tissée serré la corde qui unit la victime à son bourreau.

La seule solution pour en sortir, c'est de pardonner. Voilà un grand mot, qui fait résonner des échos vaguement christiques. Mais ce n'est pas de ce pardon-là qu'il s'agit. Personne ne vous demande de tendre l'autre joue. Il ne faut pas confondre « pardon » et « absolution ». En pardonnant, vous ne signifiez pas à celui qui vous a fait souffrir qu'il a eu raison d'agir ainsi, mais vous lui renvoyez l'offense dont vous avez souffert jusque-là. C'est comme si vous lui disiez : « Ce fardeau ne m'appartient pas. Je te le rends et je me débarrasse de ce poids. Arrange-toi avec. » Vu sous cet angle, le pardon ne libère pas le bourreau, mais la victime. Pardonner, cela consiste simplement à se détacher d'un oripeau du passé pour pouvoir enfin continuer le chemin un peu plus libre, un peu plus léger, un peu plus serein.

L'autre ne sera pas libéré par votre pardon. Il devra au contraire se débrouiller avec le poison sournois de la culpabilité, qui sera d'autant plus insidieux que votre pardon aura été sincère. La seule difficulté est que le vrai pardon ne se décide pas. C'est le fruit d'une lente élaboration, qui chemine à l'intérieur de nous jusqu'au moment où nous sommes véritablement libérés du poids de la rancune. Cela ne signifie pas que nous ne pouvons rien faire pour en accélérer le mouvement. Le fait de décider de pardonner amorce ce processus, et certaines pratiques simples lui donnent un coup de pouce salutaire.

Quelques exercices pour apprendre à pardonner

Pour évacuer la rancune. Les petites rancunes sont souvent tenaces, au point qu'elles se gonflent avec le temps et finissent par provoquer des sentiments négatifs disproportionnés qui n'ont plus grand-chose en commun avec la contrariété les ayant provoqués. Il vaut mieux s'en défaire rapidement.

🙰 Lorsque vous sentez une rancune qui s'installe en vous et dont vous ne parvenez pas à vous défaire, essayez de la passer au crible de vos critiques. De nouveau, couchez vos pensées sur le papier comme points de repère.

🙰 Commencez par décrire la situation de votre point de vue, sans vous limiter ni vous censurer.

❧ Puis retournez la caméra et essayez de vous mettre dans la peau de l'autre, de cette personne à qui vous en voulez. Et faites l'effort de chercher les bonnes raisons qu'elle a pu avoir de se conduire comme elle l'a fait.

❧ S'il ne suffit pas à faire disparaître la rancune comme par enchantement, cet exercice permet d'élargir votre angle de vue et de laisser un peu plus de place à l'autre. La rancune diminue d'autant.

Pour pardonner sur le long terme. Le vrai pardon est plus profond et demande du temps, car il ne s'opère pas en un claquement de doigts. Il n'empêche que certains gestes, certains rituels aident à construire le pardon et à lâcher ce lien destructeur que l'on continue trop longtemps à entretenir avec celui qui nous a fait souffrir.

❧ Vous allez écrire une lettre dans laquelle vous dites à celui qui vous a offensé tout ce que vous avez ressenti, tout ce que vous avez souffert par sa faute.

❧ Il ne s'agit pas de lui adresser des reproches, mais de lui faire part de ce que vous avez subi. Parlez de vous, à la 1re personne.

❧ Une fois la lettre terminée, rangez-la. Le lendemain, relisez-la et ajoutez ce que vous avez pu oublier. Procédez ainsi plusieurs jours de suite.

❧ Lorsque la lettre vous semble vraiment complète, brûlez-la. Puis dispersez-en les cendres à l'extérieur (dans un jardin, dans un parc, dans un bois...) en disant adieu à la situation.

Huitième étape :
donner du sens à la crise

Vous vous êtes dotés d'outils qui vous aident à avancer dans la résolution de votre crise. La dernière étape pour y parvenir consiste à donner du sens à ce que vous êtes en train de vivre. Vous allez vous poser des questions, celles que nous avons déjà évoquées plus haut : « Quelle est ma part de responsabilité dans cette histoire ? Quels bénéfices puis-je en tirer ? Qu'est-ce que les événements m'apprennent sur moi-même ? Quelles nouvelles qualités émergent à la faveur de cette crise ? Quels sont mes vrais désirs ?... » Ce type de questionnement n'est pas facile, mais il aide à se défaire de la peur, de l'angoisse, de la culpabilité.

Pour que votre crise vous aide à évoluer, il faut que vous vous autorisiez cette transformation. Or, nous ne sommes pas tous doués pour le bonheur, et parfois, pour le plaisir non plus. Nous n'osons pas éprouver de la satisfaction car nous sommes bloqués par une culpabilité latente. Il est temps d'en sortir, ou du moins d'essayer.

Une fois encore, il s'agit d'une dynamique : si vous faites quelques pas dans la bonne direction, à savoir celle qui vous aidera non seulement à sortir de la crise mais aussi à vous renforcer pour affronter les suivantes avec plus de lucidité, alors vous alimenterez un processus positif qui vous protégera contre bien des tentations négatives et toxiques.

Quelques exercices pour donner du sens à votre crise

Pour mieux connaître vos désirs. Pour avancer, on doit détourner les yeux du passé, dépasser la crise et regarder vers l'avenir. Pour cela, il faut pouvoir s'appuyer sur ses vrais désirs. Mais comment les identifier si l'on a perdu le contact avec son être profond ?

∾ D'abord, regardez en arrière. Essayez de vous souvenir de ce que vous aimiez lorsque vous étiez enfant, de ce à quoi vous rêviez...

∾ Puis regardez le présent et faites le point sur ce que vous avez réalisé. Et demandez-vous pourquoi vous avez abandonné certains désirs en cours de route : est-ce qu'ils vous correspondent encore ? Si c'est le cas, comment pouvez-vous les réactualiser ?

ஒ Enfin, regardez vers l'avenir et efforcez-vous de projeter ce qui peut l'être, afin que vos désirs ne soient plus seulement des rêves, mais des balises sur votre chemin, des orientations nouvelles.

Pour mieux cerner les bénéfices potentiels de la crise. Donner du sens à la crise, cela passe par une étape obligatoire : prendre conscience de ce que la crise peut nous apporter. C'est difficile au début, quand on a le nez posé sur le problème. Pourtant, plus vite on relève la tête pour regarder plus loin, plus rapidement on pourra sortir de la crise. Voici quelques pistes pour y voir plus clair.

ஒ Commencez par vous demander ce que vous perdez vraiment dans cette situation. Écrivez-le, puis laissez reposer votre écrit pendant quelques jours.

❦ Lorsque vous relisez vos notes, faites le tri entre ce qui vous touche vraiment, ce qui relève de votre ressenti, et ce qui est de l'ordre du reproche et de la rancune. Remettez au propre vos notes corrigées et oubliez-les de nouveau pendant quelques jours. Vous pouvez répéter l'opération plusieurs fois, jusqu'à ce qu'émerge l'essence de ce que vous perdez.

❦ Ultime étape : remplacer « ce que je perds » par « ce que je gagne ». En face de chaque perte, inscrivez ce qu'elle vous permet de gagner. C'est le moment de se laisser aller, d'imaginer, d'oser... Vous verrez plus tard ce que vous pouvez vraiment mettre en œuvre. Mais pour l'instant, l'heure est à la projection. Profitez-en !

Pour vous autoriser à vivre pour vous. Cet avenir nouveau qui s'ouvre devant vous, vous n'en profiterez vraiment que si vous vous autorisez à vivre, à savourer ce qui vous arrive, à choisir le meilleur pour vous. Pour vous habituer, commencez dès aujourd'hui à vous accorder du temps. Pour vous, rien que pour vous.

⚭ Même – et en particulier ! – si vous n'en avez pas l'habitude, accordez-vous dix minutes chaque jour rien que pour vous. Ce peut être le temps de savourer un café à une terrasse s'il fait beau, de transformer un bain en pause plaisir ou de passer un coup de fil à un ami perdu de vue... Au besoin, forcez-vous un peu. Vous y prendrez vite goût.

⚭ Peu à peu, prolongez vos parenthèses : un quart d'heure, une demi-heure, une heure... Et surtout, profitez-en sans culpabilité. Qui que vous soyez, vous le méritez !

Conclusion

Vous l'avez compris : les crises n'ont rien d'une calamité. Ce sont des étapes normales sur le chemin d'une vie. Elles sont même bénéfiques car elles portent en elles les germes de l'être que nous sommes en train de devenir. Il n'est pas forcément très facile de penser de cette manière quand on a le nez collé sur les problèmes. Ce n'est pas grave. L'essentiel est que vous ayez conscience de ce potentiel et que vous l'acceptiez lorsqu'il émergera.

Jean Monnet, homme d'État français disparu en 1979 et considéré comme l'un des pères de l'unité européenne, affirmait : « Les hommes n'acceptent le changement que quand ils en ressentent la nécessité, et ils ne ressentent cette nécessité que dans la crise. » Lorsqu'il prononçait ces paroles, il pensait aux groupes sociaux, pas aux individus. Pourtant, cette phrase s'applique tout aussi bien aux personnes que nous sommes. Chacun de nous dans sa vie attend les crises pour évoluer. Parfois, même au cœur de ces grands remue-ménage – et remue-méninges... –, nous n'avons qu'une envie : retourner à notre équilibre antérieur une fois l'orage passé.

Nous devrions plutôt suivre le conseil de Khalil Gibran : « Certains se remémorent leurs plaisirs avec regret, comme des fautes commises dans l'ivresse. Ils devraient se rappeler leurs plaisirs avec gratitude, comme ils le feraient pour la récolte d'un été[26]. » Il en va de même des crises : nous devrions, une fois qu'on les a dépassées, en conserver un souvenir attendri.

---

[26] *Op. cit.*

Nous devrions les remercier pour ce qu'elles nous apportent. D'autant que nous ne les attendions pas et que nous ne leur demandions rien. C'est peut-être cela, la recette du bonheur : ne rien attendre et accepter à l'avance ce qui va se présenter à nous, quand bien même il s'agirait d'une crise de vie !

Bibliographie

· *Le Bonheur d'être soi*, de Moussa Nabati,
Éditions Le Livre de Poche, Paris, 2006.

· *Divorcer zen*, de Marie Borrel, Éditions
Presses du Châtelet, Paris, 2005.

· *Les Bienfaits de la dépression, éloge de la psychothérapie*,
de Pierre Fédida, Éditions Odile Jacob, Paris, 2001.

· *Aime-toi, la vie t'aimera*, de Catherine Bensaïd,
Éditions Robert Laffont, Paris, 1992.

· *Vivre une solitude heureuse*, de Marie Borrel et Moussa
Nabati, Éditions Hachette Pratique, Paris, 2010.

· *Faire face à la souffrance*, de Benjamin
Schoendorff, Éditions Retz, Paris, 2009.

· *Lâcher prise et dire oui à la vie*, de Rosette
Poletti et Barbara Dobbs, Éditions Jouvence,
Saint-Julien-en-Genevois, 2000.

- *Le Plaisir de vivre*, d'Anne Ancelin Schützenberger, Éditions Payot, coll. « Petite Bibliothèque Payot », Paris, 2011.

- *Le Prophète*, Khalil Gibran, Éditions Albin Michel, coll. « Spiritualités vivantes Poche », Paris, 1990.

- *L'Estime de soi : s'aimer pour mieux vivre avec les autres*, de Christophe André et François Lelord, Éditions Odile Jacob, Paris, 1999.

- *81 façons d'échapper à la culpabilité*, de Marie Borrel, Éditions Guy Trédaniel, Dornecy, 2001.

- *81 façons d'apprendre à pardonner*, de Marie Borrel, Éditions Guy Trédaniel, Dornecy, 2003.

- *81 façons de devenir soi-même*, de Marie Borrel, Éditions Guy Trédaniel, Dornecy, 2003.

- *81 façons d'apprendre à lâcher prise*, de Ronald Mary, Éditions Guy Trédaniel, Dornecy, 2002.

Imprimé en Espagne chez UNIGRAF
ISBN : 978-2-0123-0595-3
Dépôt légal : février 2012
23-0595-01-1